KU-444-134

Lionel Heinic

LA PROVENCE

Photographies : Alain Gas

ÉDITIONS OUEST-FRANCE
13, rue du Breil, Rennes

Le calme et paisible village de Lourmarin.

Derrière ce tranquille verger, le monde pétrifié des Baux-de-Provence.
Photo Hervé Boulé.

Luberon : lavandes en liberté.

© 1993, Édilarge S.A. - Éditions Ouest-France, Rennes

Une fleur à découvrir : La Provence

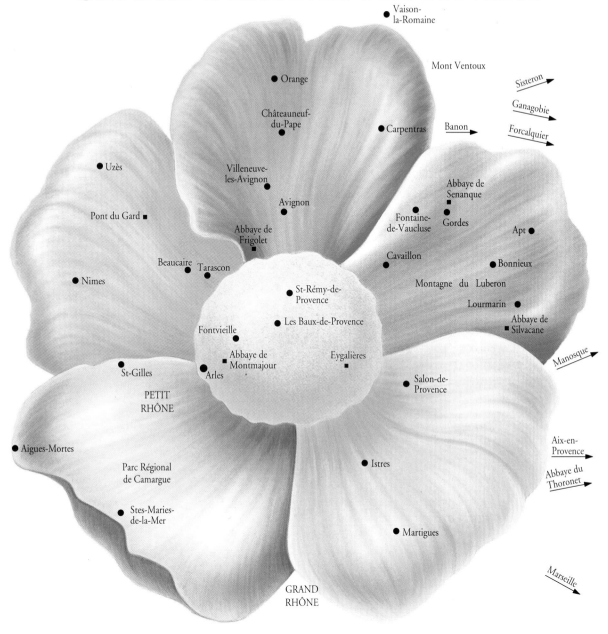

Vaison-la-Romaine

Mont Ventoux

Sisteron

Ganagobie

Orange

Banon

Forcalquier

Châteauneuf-du-Pape

Carpentras

Uzès

Villeneuve-les-Avignon

Abbaye de Senanque

Avignon

Fontaine-de-Vaucluse

Gordes

Apt

Pont du Gard

Abbaye de Frigolet

Cavaillon

Bonnieux

Beaucaire

Tarascon

Montagne du Luberon

Nimes

St-Rémy-de-Provence

Lourmarin

Abbaye de Silvacane

Fontvieille

Les Baux-de-Provence

Abbaye de Montmajour

Eygalières

Manosque

St-Gilles

Arles

Salon-de-Provence

PETIT RHÔNE

Aigues-Mortes

Aix-en-Provence

Istres

Abbaye du Thoronet

Parc Régional de Camargue

Stes-Maries-de-la-Mer

Martigues

Marseille

GRAND RHÔNE

MER MEDITERRANÉE

Paysage de la Montagne Sainte-Victoire. Vers 1882-1885. Cézanne. Moscou, Musée Pouchkine. Photo Giraudon.

La Méridienne ou La Sieste d'après Millet. 1889-1890. Van Gogh. Musée d'Orsay. Photo Briez/Suet.

PROVENCE ET REGION PROVENCE-ALPES-CÔTE D'AZUR (PACA)

Certainement l'une des plus belles parmi les vingt-deux « Régions » en lesquelles se découpe la France, celle qui nous concerne ici — la Région PACA (voir carte page 124) — englobe six « départements » : *les Bouches-du-Rhône, le Vaucluse, les Alpes-de-Haute-Provence, les Hautes-Alpes, le Var, les Alpes-Maritimes.* Sans doute les deux derniers cités sont-ils, à juste titre, revendiqués par les Provençaux comme partie intégrante de LA PROVENCE, mais — Côte d'Azur oblige — nous avons estimé qu'un tel sujet, à savoir « la Côte » (en commençant à partir de la « côte varoise ») plus les ressources d'un admirable arrière-pays, justifiaient parfaitement qu'un ouvrage spécifique leur fût consacré.

Ainsi, après ce rapide survol de l'ensemble de la Région PACA, laisserons-nous « en attente » le Var et les Alpes-Maritimes, pour nous en tenir aux Bouches-du-Rhône, au Vaucluse et aux Alpes-de-Haute-Provence, étant bien persuadé qu'avec cette Provence-là (augmentée d'une petite incursion en pays gardois) il y a, comme l'on dit, « déjà largement de quoi faire » !

Reste le cas des Hautes-Alpes, département très intéressant mais qui, bien que rattaché administrativement à ladite région, est beaucoup plus dauphinois que provençal. Il ne sera donc point traité dans le présent ouvrage.

En fait, voulu pour de simples raisons techniques, ce découpage ne correspond en rien à une quelconque *aliénation.* Ce qui serait le cas si ce que l'on appelle *la Provence* pouvait être considéré comme *une entité* bornée au levant par la frontière italienne, à l'occident par le Rhône, au midi par la Méditerranée, et s'étendant, au septentrion, là jusqu'aux marches du Dauphiné, ailleurs jusqu'aux limites les plus reculées de la Drôme. Or, les choses sont beaucoup plus nuancées.

En effet, ce n'est pas *d'une*, mais de *plusieurs* Provence qu'il conviendrait de parler. Nous en comptons pour notre part une bonne demi-douzaine ! Et ce « catalogue » n'est nullement dressé en fonction de considérations d'ordre purement climatique, géologique, voire historique, mais, tout bonnement, « culturel ». C'est-à-dire, par rapport à ce qu'ont su exprimer, ici et là, ces « écrivains » — *conteurs autant que poètes* — qui, « *fruits* » *d'un terroir particulier,* ont le privilège d'en être les irremplaçables *révélateurs.*

Ainsi de **Frédéri Mistral,** homme de cette « Provence au cœur », « inventeur » (au sens classique du terme, bien entendu !) de ce trésor qu'est toujours un langage... Ainsi, également, de cet **Alphonse Daudet,** chantre du pays des Alpilles et *meunier* de paroles fleurant bon la *sarriette,* le *romarin,* la *farigou-*

le... Ainsi encore — pénétrant alors en pays de Vaucluse — de **Pétrarque,** inconsolable amant et intarissable poète au cœur aussi gonflé de larmes que l'est de bondissante écume le labyrinthe de bras entre lesquels s'affole *la Sorgue...* Ainsi de **Jean Giono** — tumultueux enfant de Manosque et du pays gavot ; vert-d'avant-que-les-verts-n'en-inventassent-le-mot ! Ainsi, encore et encore ! de **Jean Aicard,** l'homme de la « Provence forestière », celle des Maures, sans doute (voir « *Maurin* » l'infatigable braconnier) mais aussi (*Gaspard de Besse* ne se consolerait point de cet oubli) celle de l'Estérel, cette montagne coiffée de ramures et plongeant dans une incroyable mer de carte postale ses extravagants chaussons de porphyre...

Reste enfin — comme pour « boucler la boucle » — celui qui, pour la postérité, demeure *le plus Provençal des Marseillais,* en même temps que *le plus Marseillais des Provençaux !*

Assurément **Marcel Pagnol** (puisque c'est bien de lui qu'il est question) doit cette double et complémentaire étiquette au fait que, né à l'aplomb du *Garlaban,* il est le produit d'un terroir « magique » dont la particularité est d'appartenir aussi bien à la Provence gréco-latine dont nous venons de faire le tour, qu'à la grande cité cosmopolite de marchands massaliotes, non point « provençale », mais formant *en Provence,* la plus inattendue des enclaves : *une enclave... de reste du monde !*

La **Provence forestière** (Jean Aicard) c'est-à-dire — Var et Alpes-Maritimes — celle de la *Côte d'Azur,* étant « mise de côté », nous restent tout de même, dans le présent ouvrage (et successivement) LES Provence de **Mistral, Daudet, Pétrarque, Giono... et Pagnol.** Ce qui, convenons-en, n'est pas si mal...

Ainsi, tournant dans le sens des aiguilles d'une montre, nous allons visiter la très arlésienne *Provence au cœur,* que suivra bien entendu *La Camargue,* puis, après une incursion « de l'autre côté du Rhône », c'est-à-dire *En Pays Gardois,* nous poursuivrons notre parcours *Entre Rhône et Ventoux,* le prolongerons *Dedans et autour du Luberon,* feuilletterons ensuite quelques pages de *La Provence de Giono.* Il sera alors temps de revenir vers le littoral, découvrant au passage *Salon-de-Provence et son terroir,* juste avant *L'Etang de Berre et la Côte Bleue.* Après quoi, le vert pays s'étendant *De la Sainte-Baume à la Sainte-Victoire* une fois parcouru, arrivera, *De Marseille à Cassis,* la dernière étape de ce voyage, en quelque sorte *inaugural,* puisque minutieusement conçu à votre intention — amis lecteurs, amis d'ailleurs — comme une marque de bienvenue...

REGARDS SUR LA PROVENCE

La cigale : A la différence de la célèbre *Arlésienne,* que l'on ne voit pas plus qu'on ne l'entend, l'insecte dont il est question, lui, même lorsque tapi sur quelque branche, il demeure invisible, sait, les chaudes journées et soirées d'été, se faire entendre. En ce sens, il peut être considéré comme « l'emblème » de la Provence. L'emblème, mais nullement « le symbole », dans la mesure où, à cause de ce bon Monsieur de la Fontaine et de ses « approximations » entomologiques, l'image attachée à la cigale — archétype de la légèreté et de l'imprévoyance — est franchement négative.
Photo Moiton C. et M. Jacana.

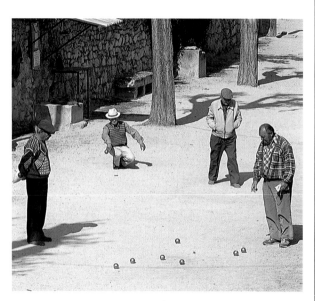

La pétanque : Elle est née à *La Ciotat,* comme le *cinématographe* des frères *Lumière.* Ce qui explique peut-être le « *cinéma* » auquel se livrent ceux de ses adeptes qui en font profession, dans le but de déconcerter les adversaires. En ce sens, on peut dire de ce jeu — ô combien populaire — qu'il est, avant toute chose, *un sport de paroles.* Ce qui ne surprendra point dans un pays où, partout présent, le verbe affirme haut et fort sa chantante suprématie...

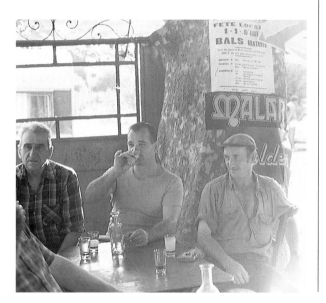

A l'heure du pastis : Perçue au premier degré, cette expression se traduirait indéniablement par : heure de l'apéritif ! Toutefois, cette notion n'en comporte pas moins un sens véritablement *culturel.* Cela dans la mesure où, le *pastaga* dont il est question évoquant immanquablement l'ombre fraîche d'une tonnelle s'offrant comme une récompense après une pétanque disputée *en plein cagna,* il y a là *un art de vivre* qui dépasse singulièrement le cadre étroit imposé par une traduction quelque peu simpliste. En fait, se mettre « *à l'heure du pastis* », n'est-ce point — d'abord et surtout — remettre une foule de choses en question ? Et certainement pas « de la pire façon ».

Le marché : « *Les marchés de Provence* », Gilbert Bécaud les a chantés... Et leur découverte va vous enchanter ! Chaque village a son — ou ses — jour (s) de marché, sachez profiter d'une telle aubaine, car vous aurez là l'occasion de véritablement *découvrir,* non seulement l'éblouissante palette de couleurs et l'incomparable bouquet de senteurs qu'offre la Provence par ses produits, mais encore la saveur des mots qui les enveloppent !

La cuisine : Là encore se manifeste cette *diversité* qui nous fait *mettre la Provence au pluriel.* Ainsi donc, si rien n'interdit de qualifier telle ou telle recette de « provençale », une analyse plus fine se doit d'attribuer, au moins quant à leur *origine,* par exemple, « le bœuf gardian » aux (seuls) Camarguais, la soupe de poissons, *de roche,* aux riverains du littoral marseillais ; pareillement, de privilégier une bourride servie « aux Martigues », une bouillabaisse pêchée et mitonnée entre Cassis et l'Estaque (sans pour autant dénigrer toutes celles présentées ailleurs). Mêmes réflexions concernant *les pieds et paquets,* mets qui, bien que servi un peu partout en Provence, n'en appartient pas moins à un folklore typiquement marseillais.

Les herbes : Ce serait là un appendice, un complément attendu du chapitre précédent consacré à la cuisine. Mais certains qui, de péremptoire façon, se mêlent de saupoudrer leurs propos de mots « magiques » comme *farigoule* (le thym) *ou pèbre d'aze* (la sarriette) n'agissent pas autrement que ces tenanciers, « parachutés », d'auberges pour touristes en mal d'exotisme, lorsqu'ils balancent sur leur barbaque rebaptisée « grillade au feu de bois », de pleines poignées de feuilles racornies et de brindilles indigestes, estimant ainsi maîtriser les secrets de la cuisine « provençale ».

Les costumes : Portées exclusivement, aujourd'hui, à l'occasion de fêtes traditionnelles, les toilettes qui furent, pour les Provençales du temps jadis, celles « de tous les jours » diffèrent, en réalité, suivant « *la Provence* » où l'on se trouve — encore qu'en la matière *l'Arlésienne* soit la mieux connue ! Mais, pour découvrir — masculins comme féminins — les habits de la tradition, rien ne vaut les défilés d'attelages organisés un peu partout, l'été venu, à l'occasion des *fêtes de la Saint-Eloi.* A ne pas manquer !

La faïence : Fruit de recettes secrètes concernant la maîtrise de l'émail et du feu, elle nous est venue d'Orient, via l'Italie, dès le XVIIᵉ siècle. En Provence, qui dit « faïence », dit, naturellement, *Moustiers.* Artistes au plein sens du terme, les *Clérissy, Viry, Laugier, Olerys, Feraud, Fouque et autres Ferrat ou Thion,* apportèrent, chacun sa touche particulière, ses formes, ses décors, ses couleurs. Outre le Musée de la Faïence de Moustiers même, noter les superbes pièces exposées au Musée Cantini, à Marseille, aux côtés d'autres magnifiques créations en « Vieux Marseille », autre école (avec Montpellier) des « *Fayansiers* ».
Photo Bernard/Morin.

Les santons : Chahutant les données fondamentales de *l'Histoire sainte*, les *maîtres santonniers* décidèrent une fois pour toutes que Jésus était né... en Provence. De la sorte, *la crêche* figurant l'étable de la Nativité (et ses alentours) put-elle se peupler de ces personnages d'argile crue, peints à la main, et dont chacun restitue l'image d'un « métier » de la tradition. Sur ce propos, voir absolument, à Aubagne, la « crèche panoramique » ayant pour décor *le pays de Pagnol* et pour protagonistes essentiels les personnages mis en scène dans les films tournés par ce même Pagnol ! *Photo Hervé Champollion.*

La Camargue : La *manade* est à la Camargue — essentiellement terre d'élevage — ce que le blé est à la Beauce, la vigne à la Bourgogne ou au Bordelais, le foie gras au Périgord... La *manade,* c'est-à-dire un troupeau de chevaux et/ou de taureaux, sur lequel veillent des cavaliers équipés de la longue pique nommée *trident.* Gardiens d'une inaltérable tradition, le *manadier* et ses *gardians* veillent à ce qu'aucun *apport extérieur* ne vienne entacher l'intégrité de leurs produits — noirs taureaux et blancs « *chevaux Camargue* ».

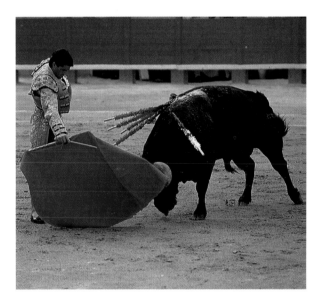

La corrida : Aux Napolitains, la Provence a emprunté *la pizza,* aux Espagnols, *la corrida.* Etant entendu que celle-ci est servie saignante, tandis que celle-là demande à être bien cuite... Rien n'interdit, d'ailleurs, de se régaler de l'une, comme de l'autre, et nous avons personnellement connu un *pizzaïolo* qui, l'heure venue de quitter son four et de remiser sa pelle à long manche, se campait devant sa glace pour y mimer les gestes — d'une impassible beauté — de ce *porteur d'habit de lumière* qu'il aurait tant voulu être...

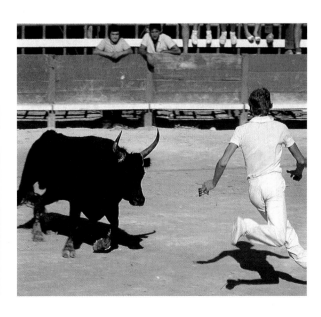

Les courses : Manifestations taurines tout à fait spécifiques, les *courses provençales* ont pour différence essentielle avec *la corrida* importée d'Espagne, que les taureaux utilisés peuvent resservir ! Ainsi des très... courues *courses à la cocarde* dans lesquelles les agiles *razetteurs* qui s'y produisent s'emploient à arracher des cornes de l'animal la cocarde qui y est attachée, tout en esquivant la charge de la bête.

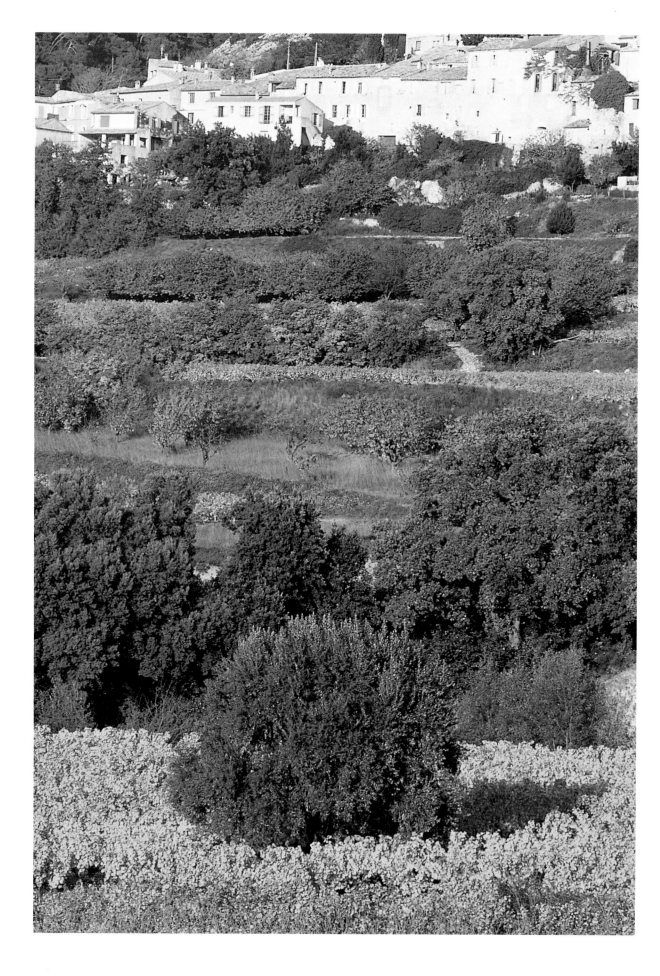

LA PROVENCE AU CŒUR

Arles, les Alpilles, Les Baux, Saint-Rémy
(Glanum, Les Antiques)
Fontvieille, Montmajour

Jadis fief des seigneurs des Baux, orgueilleux féodaux provençaux,
il ne reste de cette citadelle accrochée à de célèbres rochers
que quelques pans de murailles
où se répercute encore l'écho d'une fière devise :
« Race d'aiglons, jamais vassale ! »

ARLES

Gagnant Arles en venant de l'est, le voyageur traverse d'abord un interminable désert de cailloux : *la Crau,* que réussissent pourtant à liserer de vert et piqueter de bosquets les « oasis » que constituent des exploitations agricoles où s'exercent en parfaite harmonie « *l'élevage et le pastourage* ».

Ce n'est cependant point dans cette direction que regarde l'antique cité. En effet, depuis sa création, Arles s'est résolument tournée de l'autre côté, c'est-à-dire vers ce Rhône au flot puissant mais, somme toute, docile, grâce auquel (l'époque de la *Pax romana* en marquant l'apogée) elle put développer un

incessant mouvement d'échanges. Un temps compromise par l'arrivée des *Sarrasins,* que suivit celle des *Francs,* cette activité de négoce reprit de plus belle, et avec celle-ci l'essor d'une cité qui, sans cela, eût tôt fait, à l'image d'autres villes « *de l'Antiquité* », de s'installer à tout jamais dans la splendeur figée de ses vestiges, témoins d'une grandeur passée. Arles, bien au contraire, a parfaitement intégré les différentes strates d'une histoire en perpétuel développement, offrant ainsi aux regards jamais rassasiés de ses visiteurs, aussi bien ce qui lui vient de son passé gallo-romain : *Théâtre antique, Thermes, Palais Constantin, Forum, nécropole des Alyscamps...* que tout ce qui ressortit au développement d'un art roman

Longtemps surnommée « La petite Rome des Gaules » mais également « Fille comblée du Rhône »,
Arles, qui ne cesse de s'étirer de part et d'autre du grand fleuve,
n'en finit plus d'étaler les trésors que sont ses monuments, à la fois témoins et gardiens d'un passé prestigieux.

Les Alyscamps : une nécropole unique au monde !

qui, dès le XIIᵉ siècle, s'imposa à la cité (*cloître Saint-Trophime, église Saint-Cézaire, église Saint-Honorat des Alyscamps, etc.*).

Ainsi, Arles n'en finit-elle plus d'accoucher de ses trésors qui au fur et à mesure qu'ils se découvrent ancrent encore un peu plus la cité dans un prestigieux passé. Quelqu'un a dit un jour : « Les plus beaux monuments de Provence sont ses habitants. » Ce qui est vrai un peu partout — en Arles y compris ! A la différence près qu'ailleurs, dans une immuabilité de paysages où le temps ne dispose d'aucune prise, il n'est véritablement ni *présent* ni *passé*, l'*avenir*, quant à lui, s'exprimant par cette formule toute simple : « à suivre ». En Arles, à l'inverse, le passé offre une telle

Frédéri Mistral : il fit à la Provence se redécouvrir une langue et donc une âme.

L'incomparable cloître de Saint-Trophime.

« présence », une telle densité, que le PERSONNAGE considéré (et il s'en trouve autant qu'ailleurs) ne peut s'abstraire — inévitable décor — de l'un quelconque de ces superbes mais écrasants monuments.

En quelque endroit où l'on se trouve, l'imagination demeure en éveil, prompte à scruter le fleuve, les gradins des arènes, l'alignement des Alyscamps, ou quelque recoin d'une salle de musée, pour y capter — vague reflet mal effacé, sans doute, mais omniprésente réalité d'un toujours si proche hier — l'éclair d'acier d'un casque ou d'un glaive, l'ombre rouge d'une toge, un pan de péplum, des roulements de chars entrechoquant leurs roues contre les bornes du stade...

Si la Provence n'est pas une, mais multiple, et donc formée de *PAYS* dont la diversité contribue à sa beauté, Arles est justement la capitale de l'un de ceux-ci. Plat pays où le fleuve choisit de célébrer ses épousailles avec la mer, plat pays que souhaiterait

Autour et dans les arènes, point de rencontre vers où convergent toutes les traditions.

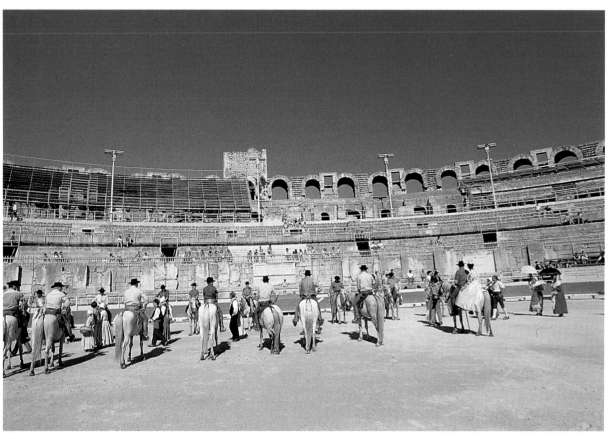

pourtant pouvoir rehausser le bourgeonnement de collines qui sépare le pays qui fut celui de Frédéri Mistral (on dit bien *Frédéri* et non point *Fréd... éric*) de celui qu'ont marqué de leur empreinte les papes « immigrés » d'Avignon.

Surnommées « gentils bibelots d'étagère » par le Nîmois devenu Parisien d'adoption, Alphonse Daudet, les *Alpilles* — puisque c'est bien d'elles qu'il s'agit — n'en culminent pas moins à 420 mètres d'altitude, ce qui leur permet de regarder avec un sentiment de profonde commisération... la tour Eiffel en personne.

Parlant de cette chaîne de collines orientée du levant au couchant (comme le *Luberon* qu'elles prolongent) et s'agissant de sa partie occidentale, on dit : *les Alpilles d'Eygalières*. De l'autre côté de la « trouée » où court la route allant de Saint-Rémy aux Baux-de-Provence, ce sont *les Alpilles des Baux*.

Des arènes (en haut) à « l'espace Van Gogh » (en bas) en passant par l'église Saint-Honorat, Arles, toujours !

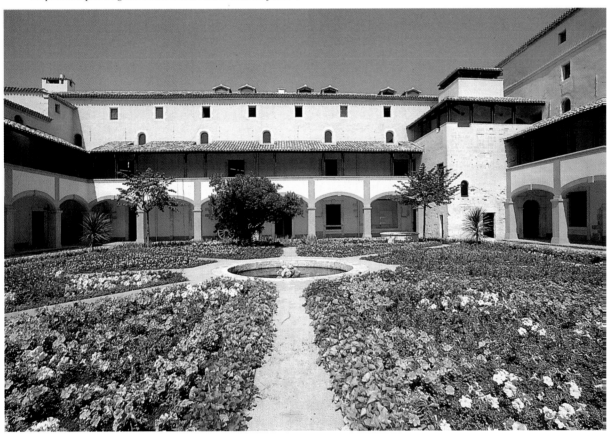

LES ALPILLES :
NÉES D'UN MOUVEMENT D'ORGUEIL...

Vingt-cinq kilomètres de long pour une largeur moyenne de six à sept, ce n'est qu'un petit morceau de Provence, mais c'est vraiment LA Provence. Cette Provence-là se situe entre la Durance et le Rhône, entre Avignon et Arles, et plus précisément entre Eygalières et Fontvieille en passant par Mouriès, Maussane, Le Paradou ; de Saint-Rémy, au nord, en redescendant par Les Baux et, de là, jusqu'au plat pays de *Crau* qui en marque la limite sud.

Les géologues ont sans aucun doute une théorie plus que valable quant aux conditions qui dans la nuit des âges ont vu apparaître cette « Chaîne des Alpilles » dont les fameux rochers des Baux sont incontestablement l'un des fleurons. Mais il en est une autre — inventée par quelque poète, sans doute,

et que nous avons toujours plaisir à dire ! — que nous vous convions à écouter.

« Or donc, parce que le Luberon, là-bas, derrière la Durance, semblait vouloir capter pour lui tout seul la lumière du levant ; parce que, plus loin vers le nord, le Ventoux l'agaçait avec ses façons de jouer au plus grand ; parce que son regard se fatiguait vite à faire du rase-Crau pour tenter d'apercevoir la mer, et enfin parce que — si proche fût-elle — la Camargue se cachait souvent derrière un Rhône en crue, elle décida un beau jour, cette plate Provence, de se hausser sur la plante des pieds. Alors, dans un effort à se faire péter les garrigues, qu'accompagnait un formidable sourcillement de broussailles, elle força ses cailloux à s'escalader les uns les autres.

« Et c'est de ce mouvement d'orgueil que sont nées les Alpilles. »

Rien, pas même l'incessant mouvement de touristes qui s'y observe, ne peut altérer la sauvage beauté de cette chaîne.

LE « MARQUISAT DES BAUX »

Même chaussé des légendaires *bottes de sept lieues* du « *Petit Poucet* », quiconque s'aviserait de joindre le *Rocher* de la lointaine Principauté de Monaco aux blancs rocs écrasés de soleil des *Baux* devrait, certes, effectuer de fantastiques enjambées. Pourtant, un tel lien existe qui — péripétie dernière d'une turbulente histoire — permet depuis plus de trois siècles à la noble famille des *Grimaldi* d'ajouter au titre de « Princes de Monaco », celui de « Marquis des Baux ». Mais là ne se bornent point les surprises de ceux qui s'apprêtent à découvrir (ou retrouver) le site véritablement « enchanté » où s'élève cet extraordinaire village.

A la collection d'images recueillies par les visiteurs de notre belle Provence (clochers et campaniles, chapelles romanes, tapis de tuiles rondes, placettes bordées de platanes avec le bariolement de leurs terrasses de cafés, mails plantés d'ormes où chantent inlassablement des fontaines...) « Les Baux » apportent le plus saisissant des contrastes. Venant de l'incontournable parking, les automobilistes devenus piétons s'engagent sur un éperon rocheux d'environ 800 mètres de long sur approximativement 20 de large, au flanc duquel, formant le sommet d'une impressionnante falaise, se perpétuent les ruines d'un colossal château.

Dès l'abord, la longue rue centrale monte en pente douce autour de superbes demeures à façades Renaissance, pour riches bourgeois de jadis. De part et d'autre, s'ouvrent des passages où la dalle alterne avec le petit pavé rond pour conduire vos pas jusqu'à telle ou telle boutique d'artisan recelant l'objet magique apte à faire s'ouvrir les plus récalcitrants porte-monnaie.

Un incessant défilé de visiteurs arrivant de tous les pays du monde,
et parmi lesquels se trouvent des gens venus pour la énième fois, jamais rassasiés de redécouvrir
l'inépuisable trésor ayant pour nom : Les Baux-de-Provence.

Les Baux : vus de l'ouest...

Ci-contre : le « chaos » du Val d'Enfer.

*Pages précédentes : c'est au pied des rochers
écrasés de soleil des Baux-de-Provence
que semble vouloir se cacher... le Val d'Enfer !*

Tout au long s'offre également l'invite de ce que les guides répertorient au chapitre « Curiosités » et qui se nomment ici : *Porte Eyguières, Place Saint-Vincent, Eglise Saint-Vincent, Chapelle des Pénitents blancs, les Fours banaux, la rue du Trencat.* Sans oublier *l'Hôtel de Manville* (actuel hôtel de ville) qui abrite un intéressant *musée d'Art moderne.*

Poursuivant jusqu'à l'extrême limite du promontoire, vous parviendrez ainsi au monument élevé à la mémoire du poète et félibre *Charloun Riou* (« *le Chantre de la Terre des Baux* ») d'où le promeneur découvre un incomparable panorama qui, par temps clair, embrasse dans le plus ou moins lointain la bonne ville d'Arles, *l'abbaye de Montmajour*, l'immense et caillouteuse plaine de *la Crau*, puis,

Les Baux : la porte Eyguière et le vallon de la Fontaine.

Photo du milieu : la chapelle des Pénitents de l'église Saint-Vincent.

En bas : la chapelle Saint-Claude et Saint-Blaise.

gorgée d'eau et de sel, plantée de roseaux et vibrant d'un inégalable foisonnement de vie animale, la *Camargue !* Et cela jusqu'aux *Saintes-Maries-de-la-Mer,* jusqu'à *Aigues-Mortes...*

Redescendu du « nid d'aigles » des fiers seigneurs « *Baussenques* » vous n'en aurez pas, pour autant, terminé avec ces Baux-de-Provence, que vous ne sauriez quitter sans avoir arpenté le sentier du *Val d'Enfer,* pensant à la légende de la sorcière *Taven* et à ses philtres magiques, comme à cette mythique et en fin de compte très *philosophale « CHEVRE D'OR »* gardienne d'un introuvable trésor. A croire que celui-ci est aussi « immatériel » que le sont les décors projetés sur des écrans géants de neuf mètres de haut dans la fantastique « cathédrale d'images » aménagée dans une carrière désaffec-

tée, et que visitent chaque année plus de cent mille personnes !

De là, vous gagnerez — autre ex-carrière — les « Caves de Saragan » où, dans un cadre exceptionnel, vous pourrez déguster d'excellents vins du terroir.

La rue centrale.

*En bas : l'oppressante présence
d'un passé pétrifié.*

Carrières et caves de Saragan.

SAINT-RÉMY : UNE ALLURE DE PROSPERE COMMUNE AGRICOLE

Parce que situé « de l'autre côté des Alpilles », Saint-Rémy joue en quelque sorte le rôle de « trait d'union » entre le pays d'Arles et la Provence des Papes. Or, et malgré ses allures de prospère commune agricole, ce gros bourg n'en est pas moins inséparable de sites éminemment « touristiques » (*Les Baux, Fontvieille, Montmajour* — pour s'en tenir étroitement au terroir bordant les Alpilles). Mais si la cause en est cette donnée géographique, la raison première de cette « dimension culturelle » tient en deux mots : *Glanum, Les Antiques.*

Opulente cité romaine, Glanum fut, au siècle troisième de notre ère, détruite par une invasion barbare. Les prédateurs en question surent toutefois (pour le grand bonheur des archéologues) ne pas totalement « effacer », ici un temple, un sanctuaire, un bassin,

Ci-contre de haut en bas :
Les Antiques : le « Mausolée ».
« L'Arc municipal. »
Les Antiques : frise du Mausolée.

Saint-Rémy : la fontaine Nostradamus.

une porte fortifiée, plus loin une fontaine, un canal recouvert, un établissement de bains, quelques maisons. Ce sont : *les ruines de Glanum.*

Mais avant d'y parvenir, avant de s'engager dans le chemin qui y conduit, le visiteur aura vu, de l'autre côté de la route, et en bordure de celle-ci, ces deux monuments — parmi les plus photographiés du monde — que l'on appelle : *Les Antiques,* c'est-à-dire le superbe *Mausolée* érigé à la mémoire de leurs parents décédés par un trio de jeunes Romains de bonne compagnie, et le non moins superbe *Arc municipal.*

À noter, cependant, que la visite du village même de Saint-Rémy-de-Provence permet d'intéressantes découvertes. Tel cet Hôtel *de Sade,* qui abrite un « dépôt lapidaire » prolongeant Glanum ; tel ce « *Musée des Alpilles Pierre de Brun* », consacré aux arts et traditions populaires...

FONTVIEILLE : « PAS DE LETTRES... DE MON MOULIN ! »

Sise sur les derniers contreforts sud de la chaîne des Alpilles, la charmante bourgade de *Fontvieille* ajoute aux atouts que lui procurent aussi bien ses indéniables attraits que sa position géographique (axe Saint-Rémy/Les Baux/Arles) l'avantage de posséder le seul moulin à vocation littéraire qui se puisse trouver au monde. Il s'agit, bien entendu, du célèbre « *Moulin d'Alphonse Daudet* » celui-là même dont le nom semble accorder une sorte de « label d'origine » aux *Lettres,* non moins fameuses, écrites par le talentueux auteur des *Contes du lundi.*

En fait, le moulin en question n'a jamais rien meulé d'autre que de la bonne et blanche farine. Et pas plus des paroles (Daudet ne fut-il pas, avant toute chose, un prodigieux conteur ?) que des écrits. Cela

Pages précédentes : oliviers dans la vallée des Baux.

Les impressionnants vestiges de Glanum.

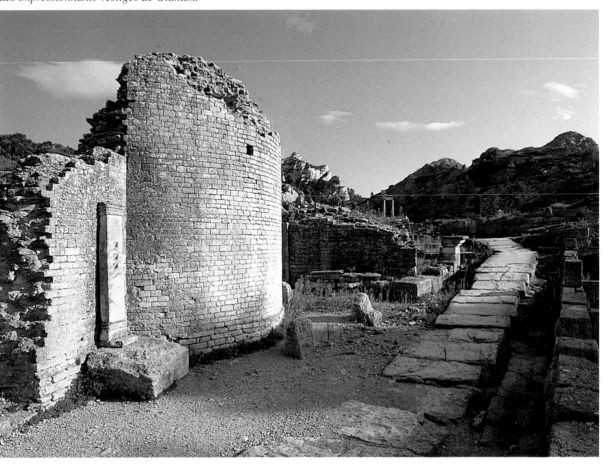

dans la mesure où ce fut à Paris que le « meunier honoraire » de Fontvieille écrivit tant ses *Lettres,* que ses *Contes.* A Paris ou bien, lorsqu'il séjournait à Fontvieille, chez des amis qui l'hébergeaient.

Il n'en reste pas moins que, même si le plus célèbre des moulins ne servit point d'écritoire à Alphonse Daudet, le souvenir du père de *Maître Cornille* y est profondément attaché. Témoin le petit musée qu'il abrite en son sous-sol, et où sont exposés manuscrits rares, portraits, évocations diverses...

UN MAMELON ENTOURE D'AFFREUX MARECAGES... MONTMAJOUR

Poursuivant votre route en direction d'Arles, vous rencontrerez vite, sur un large talus dominant la D 10, la masse importante de l'abbaye de

Le château de Montauban, à Fontvieille (où Daudet écrivit la plupart de ses lettres) et l'église de Fontvieille.

Un moulin à vocation littéraire...

Montmajour. Cette église-forteresse brutalement plantée au cœur de la douce Provence païenne du pays d'Arles (la *Provincia* romaine) devenue plus tard celle de Frédéri Mistral, surprend quelque peu.

Au Xe siècle, époque où fut fondée l'abbaye, les sites agréables ne manquaient pas dans ce *pays* où, avec le cyprès pointu son compère — de vert vêtu et de glands gris boutonné — l'olivier coiffé d'argent disputait déjà, entre deux bourrasques de mistral, d'interminables parties de saute-collines. Mais les moines bénédictins, ses fondateurs, comme pour mieux marquer leur dédain des agréments de ce bas monde, choisirent pour s'y établir un mamelon entouré d'affreux marécages et infesté d'abominables moustiques ayant à l'évidence partie liée avec le Démon, tant leur aiguillon évoquait par ses tourments celui avec lequel Satan s'acharnait sur ses pensionnaires. Mais, plus acharnés encore, les moines asséchèrent les marais, transformant ainsi les abords de leur abbaye — que l'on ne pouvait à l'origine gagner qu'en bateau — en riches terres cultivées.

Le sentiment de puissance et de quasi-invulnérabilité qu'impose dès l'abord Montmajour est immédiatement conforté par la vision de l'épaisseur de ses murailles et l'impeccable appareillement de leurs superbes pierres de taille. La visite nous fait passer (la déclivité du terrain expliquant cela) d'une crypte, en partie creusée dans le roc, en partie surélevée, à une église haute dont l'achèvement ne fut jamais mené à bien. Il faut dire qu'au XVIIe siècle les bons moines avaient peu à peu été remplacés par des « religieux laïcs » (*sic*) ayant qualité « d'Officiers de la Couronne ». Mêlés, dans les processions, aux dernières robes de bure, ces gaillards magnifiquement vêtus, une main sur le pommeau de l'épée, l'autre frisant la moustache, faisaient se pâmer les belles Arlésiennes. Au siècle suivant, enfin, un scandale rejaillit sur l'infortunée abbaye, du fait de son dernier abbé qui n'était autre que le fâcheusement fameux *cardinal de Rohan,* mouillé jusqu'au camail dans l'affaire du « Collier de la Reine ».

Indestructible malgré les pillages subis pendant et après la Révolution, la puissante abbaye, désormais déserte, poursuit sa garde farouche sur le plus paisible des paysages, sous ce beau ciel de Provence où, parfois, quelque espiègle nuage s'en vient rôder par là, jouant à coiffer d'un bonnet blanc de bergère le terrible donjon crénelé.

Une indestructible abbaye : Montmajour.

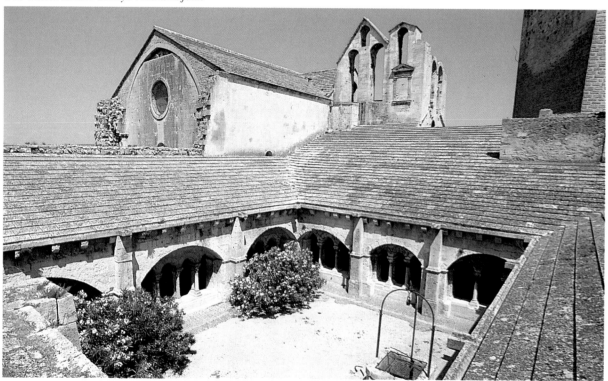

LA CAMARGUE

Des Saintes-Maries-de-la-Mer à Aigues-Mortes

« Une terre de contrastes »,
propos qu'illustrerait (si besoin en était)
le noir pelage des taureaux s'opposant
à la (toujours) blanche pelisse des chevaux. Photo Hervé Boulé.

Le combat commencé depuis des millions d'années dure encore. Il oppose deux titans : *le Rhône* et *la Mer.* Il s'agit pour celui-là de combler par ses alluvions le delta que forment en fin de course ses deux bras ; le jeu consiste pour celle-ci à l'en empêcher. 56 000 hectares n'en ont pas moins été conquis, dans le delta, qui forment la majeure partie de ce territoire à nul autre pareil portant le beau nom de *CAMARGUE.*

Celle-ci, dans sa partie orientale (en gros celle qui appartient aux Bouches-du-Rhône) est appelée *Camargue des Saintes-Marie-de-la-Mer ;* l'autre, « la gardoise », est nommée : « *Camargue d'Aigues-Mortes* ». Ce sont donc ces deux villes qui, bien que la seconde soit déjà languedocienne et non plus strictement provençale, vont nous servir de « bornes ».

Au mot magique de *Camargue,* de nombreux clichés viennent aussitôt à l'esprit, faits aussi bien de mots que d'images.

Les « *gardians* », menant leurs *manades — de taureaux et/ou chevaux* (du cheval, prendre bien soin de dire « un *Camargue* » et non point « de Camargue » ou, pis encore, « Camarguais ») ; les *flamants,* roses (à l'inverse du cheval auquel le qualifi-

Gardians aux « Saintes ».

Une perpétuelle représentation !

Les « Saintes-Maries », non plus côté mer, mais... côté roseaux !

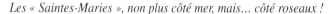

Les « Salines » à Salins-de-Giraud.

Saintes-Maries... de la Mer — les si bien nommées !

catif de « blanc » est systématiquement accolé) ; les *marais* et les *étangs* (dont le fameux *Vacarès*) liserés de roseaux, fourmillant de plumes et crépitant d'écailles, institués en réserves naturelles ; les *cabanes* des *gardians* déjà nommés — quatre murs blancs coiffés de « sagno » (gerbes de roseaux) ; des infinis de plages dont, suivant les endroits, on ne sait plus exactement si les dunes qui les bordent sont de sable ou de sel. Puis, luttant contre les assauts d'une mer hostile, des digues hérissées d'arêtes de béton...

Et, bien entendu, une plate et longiligne bourgade dominée par la masse imposante d'une église fortifiée : Les Saintes-Marie-de-la-Mer ! Et, par conséquent, le très bigarré — mais ô combien fervent ! — pèlerinage annuel des *gitans* !

Curieusement, alors que dans son ensemble l'indéfinissable Camargue, terre où le culte de *Mithra le taureau* supplante celui de l'agneau ; où pousse désormais le riz venu de la lointaine Asie pour se substituer au blé nécessaire à l'hostie ; où, perpétuant un paganisme jamais totalement oublié, les mots magiques de *Soleil, Terre et Eau* forment une indiscutable trinité... oui, curieusement, dès lors que l'on s'éloigne des étangs pour se rapprocher du clocher, le sentiment religieux reprend toute sa force — le culte spécifique des « trois saintes » constituant un formidable atout !

L'histoire de la barque amenant « les tantes du Christ », mais également Sara, la noire servante, est suffisamment connue pour qu'il soit nécessaire d'y revenir, sinon pour insister sur le rôle considérable dévolu à Sara, à l'intention des Gitans.

Aigues-Mortes : une sorte d'oasis... dans le temps.

UNE SORTE D'OASIS DANS LE TEMPS : AIGUES-MORTES !

A quelque six lieues de là à vol de flamant s'offre à vos regards l'extraordinaire cité médiévale ayant pour nom : Aigues-Mortes. Découvrons ensemble cette ville surgie vers le milieu du XIIIᵉ siècle de par la volonté du Roy Louis, neuvième du nom, au cœur d'une étendue désertique d'étangs et de marécages.

A l'évidence, *Aigues-Mortes* constitue une sorte d'oasis dans le temps, tout ce qui s'y montre étant demeuré quasiment identique à ce que pouvaient en découvrir de lointains voyageurs.

Imaginez une immense plaine traversée de canaux frangés d'écume ou gorgée de marais envahis par les joncs, une plaine oubliée par les urbanistes ! Puis, dans le lointain, les murailles intactes, auxquelles ne manquerait pas même un moellon, d'indestructibles remparts ceinturant une ville moyenâgeuse. De cette ligne crénelée, seule émerge une formidable tour, à l'exclusion de tout immeuble, de toute construction moderne. La ville est derrière.

Ivre de son propre espace, la plaine immense, une plaine de commencement du monde, pousse ses herbages jusqu'au pied de murailles qu'elle n'a pu engloutir. *Aigues-Mortes*, « eaux-mortes ! » De cette petite cité de *Pays d'Oc,* Saint Louis embarqua pour ne jamais revenir, entraînant dans le sillage de sa nef royale les eaux qui, de cette ville, faisaient un port.

En affirmant que rien, à Aigues-Mortes, n'a changé depuis l'époque des croisades, nous savons bien que les rues et les places y sont asphaltées, que les

Aigues-Mortes : les murailles intactes de remparts ceinturant une ville demeurée moyenâgeuse.

Jadis prison, la tour de Constance.

Ici, pour remonter le temps, seuls suffisent quelques costumes...

fils de l'EDF et du téléphone y courent et que des antennes de télévision ont poussé sur les tuiles rondes et rousses des toits. Mais, au regard de ces 1630 mètres de remparts absolument intacts, de cette *Tour de Constance* — où tant de martyrs furent emprisonnés — au regard de tout cela, une couche d'asphalte, quelques fils, de minces tubes dressés sur les toits ne sont, en définitive, que si peu de choses apportées par ce temps qui, partout ailleurs, a balayé un passé dont, malgré toutes les Tours de Constance du monde, ce qu'Aigues-Mortes, elle, a su en conserver n'est ni dénué de charme ni dépourvu de tendresse.

Venant « de Provence », les fervents des grandes routes gagneront Aigues-Mortes par Arles, Saint-Gilles, Vauvert et Aimargues, d'où ils piqueront, plein sud, jusqu'à destination. Saint-Gilles, avec une halte obligée (admirable triple portail de son église, escalier à vis du clocher, musée lapidaire de la « Maison romane »). Aux autres, quel itinéraire conseiller ? Bah ! la Camargue, avec ses multiples chemins enchantés, saura, à travers étangs et canaux, leur faire franchir de concert les quelques dizaines de kilomètres et les quelques centaines d'années, au bout desquelles ils découvriront cette *ville-témoin* appelée : **Aigues-Mortes.**

L'admirable triple portail de l'église de Saint-Gilles-du-Gard.

EN PAYS GARDOIS

Nîmes, le pont du Gard, la Garrigue,
Uzès, Beaucaire… et Tarascon

*Le pont du Gard, inaltérable témoignage
laissé par les bâtisseurs romains.*

D'Aigues-Mortes, que nous quittons, *Nîmes* n'est qu'à une trentaine de kilomètres. Il en va de même en partant d'Arles. Il est difficile d'évoquer l'une quelconque de ces deux dernières villes sans, qu'aussitôt, apparaisse l'autre. Leur relative proximité n'explique pourtant pas tout. Car ces deux cités sont, avant toute chose, romaines ! Et cela au point de sembler jumelles, tant abondent, chez l'une comme chez l'autre — ouvrages divers, monuments, etc. — les marques de cette commune aventure. Mais il serait futile d'établir, point par point, des comparaisons mettant en cause, ici, tel temple, nécropole ou thermes, là, telle *Maison carrée,* tour ou bassin car, à ce « petit jeu », tous les « à-peu-près » ne sont-ils point permis ? Sauf, bien entendu, à parler des *arènes.* Car, à Nîmes comme en Arles, celles-ci apportent aux deux cités leur véritable — parce qu'encore vivace et donc toujours *actuel* — dénominateur commun.

Datant d'à peu près la même époque (juste avant notre ère) que celles d'Arles, les arènes nîmoises répètent la même configuration et d'identiques mesures (quelque cent trente mètres de long sur une centaine de large), pour une contenance dépassant les vingt mille spectateurs.

A l'origine, il y eut *Nemausus,* capitale d'une tribu gauloise qui, très vite, fraternisa avec les Romains. Ce qui lui valut de leur part l'octroi de nombreuses largesses, telles que la construction de ces superbes édifices dont les vestiges nous émerveillent encore. La *Pax romana* terminée, Nîmes, à l'instar d'autres villes d'entre Rhône et Toulouse, connut l'horreur et l'insigne stupidité des guerres de Religion.

Au XVIᵉ siècle, Nîmes devient la métropole huguenote qu'elle n'a, depuis, jamais cessé d'être. Ce qui contribue, pour qui voudrait souligner les points de distanciation, à la différencier encore un peu plus d'Arles, sa voisine.

Autre particularité s'observant dans la cité qui a pour emblème un crocodile (souvenir de la conquête de l'Egypte par les légionnaires romains — devenus citoyens nîmois) : son Académie. Fille de la « Grande Dame parisienne » créée par Richelieu, l'Académie de Nîmes jouit d'une considération particulière puisque, insigne honneur, ses membres peuvent assister en tant qu'auditeurs aux séances de travail du Quai Conti.

Ci-contre : la célèbre Maison carrée (en haut).
En bas : autre célébrité nîmoise, la tour Magne (à gauche). Détail des Arènes (à droite).

Nîmes : dans ses « arênes », plus de vingt mille spectateurs pouvaient prendre place.

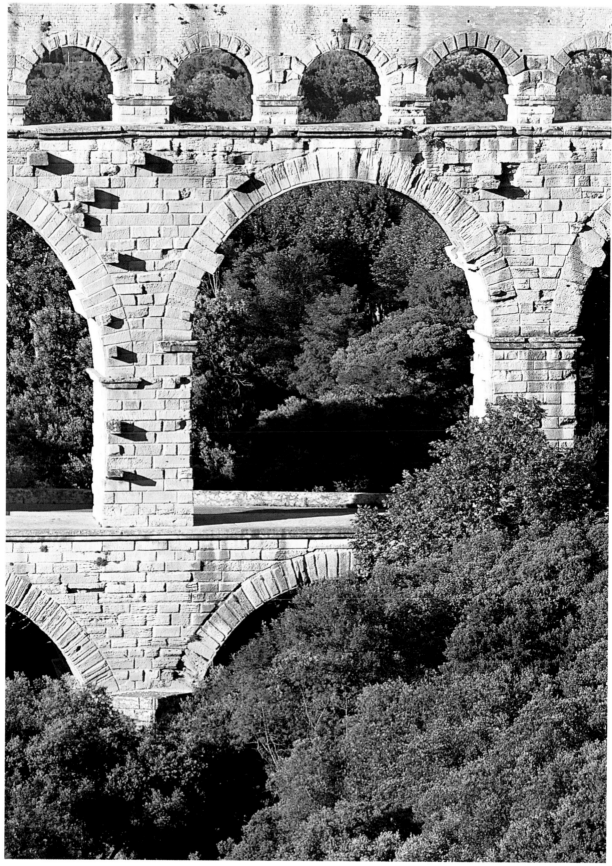

DEUX MILLE BOUGIES POUR LE PONT DU GARD

De Nîmes, il n'est que de parcourir une petite vingtaine de kilomètres sur la toujours très fréquentée N 88, pour gagner le grand carrefour de Remoulins où, en sus du nœud de routes qui s'y enchevêtrent, coule la jolie rivière nommée *Gardon*, mais à qui ce frétillant patronyme semble ne point suffire, puisqu'elle revendique le droit de s'appeler indifféremment : *Gard*.

Si l'usage voulait que l'on fêtât l'anniversaire des grands ouvrages d'art, ce sont deux mille bougies qui, très exactement en l'an 1981, auraient été disposées et allumées (dans l'attente du coup de mistral qui viendrait les souffler) sur le faîte de cet important reste d'aqueduc construit par les Romains. Ce qui ne peut être considéré comme une mince affaire, lorsque l'on constate que pour empiler, « à sec », les blocs colossaux qui le composent, ses bâtisseurs durent hisser à plus de quarante mètres des pierres de six tonnes ! Il convient de féliciter ces inlassables constructeurs de nous avoir laissé une telle merveille à contempler — la splendeur de la conception architecturale étant ici confortée par l'incroyable beauté du site. Elaboré par le conseil régional et le conseil général, un important projet de mise en valeur et d'aménagement de ce site exceptionnel est à noter.

UZES : UNE FINE DENTELLE... DE PIERRE

Poursuivant notre escapade en Pays gardois, l'occasion est trop belle, nous trouvant au *Pont du Gard*, d'ajouter une poignée de kilomètres à notre promenade, afin de découvrir la très belle cité *d'Uzès*.

Ci-contre : « zoom » sur le pont du Gard.

Pour Uzès, un obligatoire détour et une halte tout aussi obligée !

La tour Fenestrelle : elle semble avoir été bâtie par des compagnons maniant le crochet de la dentellière.

Uzès : un hôtel particulier sur le cours Malraux.

Dans ce pays gardois où à l'ombre des mûriers prospérait jadis l'industrie du ver à soie, les magnaneries ont disparu du paysage. Reste *la garrigue*. Plat, quelquefois vallonné — mais si discrètement ! —, son relief est plus fait de feuillus, propres à concentrer l'étouffante chaleur de l'été, que de lointains de collines et de silhouettes d'arbres.

Cette rude étendue, cet implacable pays de broussailles s'offre pourtant la coquetterie d'avoir pour point de ralliement l'une des plus finement aristocratiques cités qui se puissent rencontrer dans notre, pourtant vaste, pays d'Oc. Nous voulons parler d'*Uzès*, ville dont le premier souci est de nous rappeler par force panneaux qu'elle fut *le premier duché de France*.

La masse imposante de son château est d'ailleurs là pour nous le confirmer. Un château sur lequel pavillon est hissé lorsque le duc est présent. Mais oui ! cela existe encore et donne à cette ville de moins de dix mille habitants un petit air de principauté — ce dernier terme évoquant, naturellement, des fastes, ailleurs oubliés, des sons, des couleurs, bref, *la Fête*, c'est-à-dire beaucoup plus que maintes pâles « festivités » organisées ci et là pendant la saison *touristique*.

Que faut-il visiter à Uzès ? La réponse est : tout, absolument tout ! Son château ducal, son palais épiscopal, sa cathédrale, avec ses orgues classées « monument historique », et surtout — surtout ! — son admirable

Tour Fenestrelle. Une tour percée de tant de jours qu'elle semble avoir été construite par des compagnons bâtisseurs ayant pour une fois délaissé le burin du tailleur de pierres au profit du crochet de la dentellière.

Mais *Uzès*, c'est aussi la magnifique *Place aux Herbes*, comme les somptueux ombrages — la garrigue étant ici oubliée — de la *Promenade des Marronniers*, un inépuisable catalogue d'hôtels particuliers ou de maisons bourgeoises, de rues et de ruelles, de porches, de cours, de places et de placettes, de mails où s'ouvrent des cafés dont les terrasses souvent peuplées par une jeune faune estudiantine donnent à *Uzès* quelque ressemblance avec l'Aix-en-Provence du Festival. A visiter également, le Musée 1900, situé au « Moulin de Chalier ». Musée à caractère véritablement universel, celui-ci regroupe plus de quatre mille objets « d'époque ». Et cela dans des domaines aussi divers que l'auto, la moto, le vélo, le matériel de pompiers, la photo, le matériel de cinéma, radio, les machines à vapeur (en activité), sans oublier un moulin à huile en fonctionnement !

En outre, dans une dépendance de cette incroyable réalisation, est installé, depuis l'été 1992, un « musée des trains et des jouets » — la plus importante exposition d'Europe en ces domaines ! Le tout s'accompagne d'une maquette géante restituant l'ensemble de ce département du Gard qui, décidemment, nous fait aller de merveilles en merveilles !

Ci-contre : à Uzès,
la présence du duc est (encore aujourd'hui !)
signalée par l'apparition du pavillon portant ses armes.

Uzès : la magnifique Place aux Herbes.

BEAUCAIRE ET TARASCON :
ELLES ONT LE RHÔNE POUR MIROIR !

De retour d'Uzès, nos retrouvailles avec la Provence rhodanienne vont s'effectuer par *Beaucaire*, ville gardoise qu'un simple pont sépare — ou, plutôt, *relie* — de sa voisine *Tarascon*. Certes, le pari semble difficile à tenir, qui consisterait à se référer à la première nommée de ces deux villes (gardoise et donc languedocienne) pour parler de la seconde, qui appartient à la Provence du Comtat — voire du Pays d'Arles — et réciproquement.

Pourtant, et quoi que l'on en ait : pour se rendre de Tarascon à Beaucaire, comme pour aller de Beaucaire à Tarascon... il suffit de passer le pont !

C'est sans doute parce qu'elle est bâtie en bordure du fleuve, que Tarascon ne perd jamais une occasion de rappeler le nom qu'elle s'est choisi : *Tarascon-sur-Rhône !* L'ennui est que, dans la mesure où le territoire beaucairois pousse jusque sur la rive gauche l'avant-garde que constitue l'usine hydro-

électrique du barrage de Valabrègues, c'est donc à Beaucaire que coule le fleuve et non pas à Tarascon... sur-Rhône. Mais si Beaucaire a annexé le puissant cours d'eau, Tarascon, en revanche, s'est emparée du chemin de fer. Ainsi, grâce à sa gare, mais également à son tribunal, son barreau, Tarascon, « chef-lieu de canton des Bouches-du-Rhône », attire bien plus les gens de Beaucaire que ne peut le faire Nîmes, dont ces derniers dépendent pourtant administrativement.

D'une ville à l'autre, l'on retrouve les mêmes arcades aux maisons. Peut-être remarque-t-on à celles de Beaucaire un peu plus d'arrondi, et à celles de Tarascon ce rien de raideur qui ne doit pas surprendre dans une ville où gens de robe et d'épée se remarquaient plus souvent que gens de blouses.

Le dernier dimanche de juin, Tarascon voit sortir sa *Tarasque* légendaire — monstre dont la robe d'écailles vertes plantée de piquants rouges dissimule mal les pneumatiques sur lesquels, à la grande joie

Pages précédentes : le château de Tarascon, dit « château du Roy René ».

Beaucaire : gardoise, mais si proche de « sa sœur » provençale, Tarascon, à laquelle la relie un pont jeté sur le Rhône.

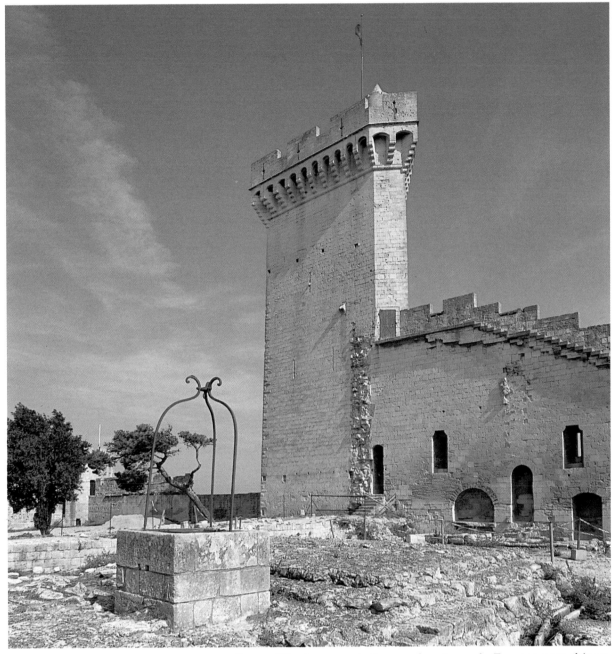

*Terre « d'Empire », avant même que devenir papale, Tarascon a son château,
défi auquel semble répondre ce château de Beaucaire érigé, en « terre royale », par Philippe le Bel.*

des badauds, elle se déplace dans les rues de sa bonne ville. Pour ne pas être en reste, Beaucaire avait son *Drac*, autre monstre de l'attachante famille des dragons, lequel manifesta longtemps un goût très vif pour la chair plantureuse des belles lavandières, mais qui, victime sans doute des machines à laver et de leurs enzymes encore plus gloutons que lui a totalement disparu de la circulation.

A l'occasion de sa célèbre *Foire* annuelle, dont l'ouverture est traditionnellement fixée au 21 juillet, Beaucaire voit sa population passer de moins de vingt mille à cinquante mille personnes. Car cette foire se double d'une grande fête tauromachique.

Autre différence, celle qui s'observe dans l'art de faire rouler les boules. A Tarascon, on joue le plus souvent « à pétanque » ; à Beaucaire, on pratique

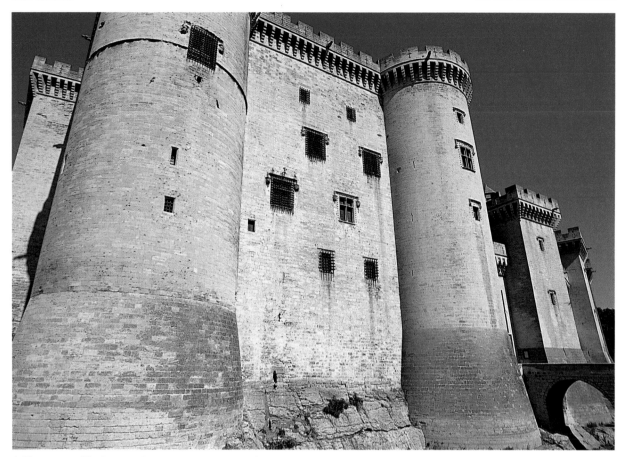

A Tarascon, ville de gens de robes et d'épées, un rien de raideur s'observe aux arcades des rues...
mais également à la masse austère de son château.

volontiers le jeu dit « provençal », indifféremment appelé : « à la longue ». Ce dernier nécessite beaucoup plus de place, mais l'espace ne fait nullement défaut entre les platanes du *Pré,* à l'aplomb de l'énorme château dont les épaisses murailles, en répercutant au loin le bruit belliqueux des *carreaux,* se rappellent au bon souvenir du rival d'en face, le non moins puissant château bâti par le bon roi René sur l'autre rive du Rhône.

Ce Rhône franchi d'est en ouest, n'allez surtout pas croire que vous avez laissé la Provence... à Tarascon. A preuve, les costumes portés par les Beaucairoises, plus authentiquement arlésiens que ceux qu'arborent les Arlésiennes elles-mêmes ! Une autre authenticité est revendiquée par les filles de Beaucaire, c'est celle de la coiffure. Une coiffure à

bandeaux relevés, et non aplatis, comme les portent les Tarasconnaises.

Alors, et puisqu'il faut conclure, disons : oui, Beaucaire, qui fut « *du Royaume* », tandis que Tarascon était « *d'Empire* », appartient au Gard, alors que Tarascon est chef-lieu de canton dans les Bouches-du-Rhône ; oui, l'on est volontiers marchand à Beaucaire et robin à Tarascon ; oui, on pousse le bouchon un peu plus loin dans la première de ces deux villes qu'on ne le fait dans la seconde... où l'on s'est longtemps contenté de planter aux *toros* des cocardes plutôt que des coups d'épée !

Ce qui n'empêche aucunement ces deux villes d'être d'authentiques cités provençales, s'enrichissant d'autant mieux de leur diversité... qu'elles ont le Rhône pour miroir.

ENTRE RHÔNE ET VENTOUX

La Montagnette, Avignon, Villeneuve, Châteauneuf, Orange,
Carpentras, Vaison, Valréas, mont Ventoux, Brantes…

*Le Rhône : aujourd'hui « domestiqué »,
il se gonflait hier d'impétueuses crues.* Photo Hervé Boulé.

La surprise est de taille, pour les promeneurs allant de Tarascon à Avignon par la petite route qui traverse la *Montagnette,* de voir soudain, au-dessus des pins, des cyprès et des oliviers, surgir de derrière une enceinte moyenâgeuse d'incroyables flèches gothiques ! Le tout donnant à ce paysage où semblent encore résonner les coups de fusil des chasseurs de casquettes chers à Alphonse Daudet, l'aspect d'un site spécialement aménagé par un cinéaste hollywoodien pour y tourner quelque médiévale épopée.

La musique qui, à certaines heures, s'élève de cette véritable petite ville cernée par une interminable enceinte crénelée doit pourtant plus à Grégoire Ier qu'à Ennio Morricone. Car si ce décor d'opérette n'a été édifié qu'au siècle dernier, l'histoire de cette authentique abbaye remonte, elle, au Xe siècle.

En ce temps-là, dans ces garrigues qui bordent la rive gauche d'un Rhône dans le lit duquel vient de se glisser la Durance, poussaient déjà la lavande, le romarin et surtout le thym (farigoule en provençal) auquel l'abbaye de *Saint-Michel-de-Frigolet* doit son nom. Parvenus sur place, et après les agrestes plaisirs dispensés par ces collines embaumées d'aromatiques senteurs, il vous sera difficile de résister aux multiples invites d'une église abbatiale superbement décorée, d'une chapelle *(Notre-Dame-de-Bon-Remède)* abritant de somptueuses boiseries dorées, ainsi que de l'église *(Saint-Michel)* de l'ancien monastère du XIe siècle, avec son très beau toit de

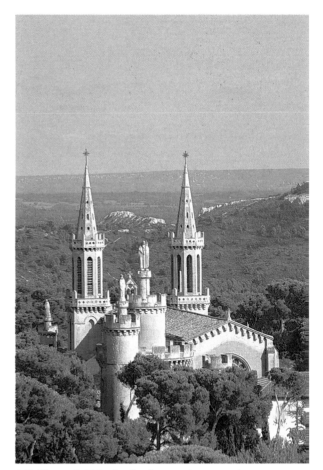

A l'abbaye de Frigolet, les bons moines perpétuent la diffusion... du célèbre élixir du Père Gaucher !

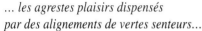

... les agrestes plaisirs dispensés par des alignements de vertes senteurs...

pierres plates que termine une crête ajourée. Pour la petite histoire, notons que les superbes boiseries de la chapelle furent offertes par la reine Anne d'Autriche. Celle-ci, en effet, avait vu exaucé le vœu de maternité prononcé en ladite chapelle — le résultat en étant le futur Louis XIV.

Les moines prémontrés installés dans cette prospère abbaye mettent à votre disposition un restaurant, simple mais très convenable, où vous pourrez satisfaire aux exigences d'un appétit aiguisé par le bon air de la Montagnette. Ils tiennent également une boutique où le visiteur peut se procurer cartes postales, documentation et souvenirs divers le tout dans une silencieuse — mais ô combien efficace ! — évolution, entre les comptoirs, de robes à la blancheur immaculée. On est, certes, bien loin de Montmajour, par exemple, lieu où l'on peut rêver à la longue théorie formée par les moines encapuchonnés

*Avignon : le pont Saint-Bénézet avec, sur l'autre rive, l'île de la Barthelasse et,
en arrière-plan, la tour de Philippe le Bel (à Villeneuve-lès-Avignon).*

de jadis, pour qui le travail des champs et les chants à la gloire du Seigneur procédaient de la même foi. Mais il faut peut-être aux voies du Seigneur passer par de telles transmutations...

De la Montagnette, pour gagner Avignon, il est moins de temps qu'à certain abbé, imaginé par Daudet, pour expédier ses trois messes basses. Moins pressés que ce *Dom Balaguère (ex-prieur des Barnabites, et chapelain gagé des sires de Trinquetaille)*, rien ne vous interdit de faire une halte à *Barbentane*, joli village adossé au versant nord de la Montagnette. Vous pourrez y visiter son château du XVIIe siècle qui, tant par son architecture d'une rare élégance que par la richesse de sa décoration intérieure s'apparenterait plus au style des belles demeures de l'Ile-de-France qu'à ce qui peut s'observer en Provence.

Mais nous arrivons maintenant « en » Avignon.

AVIGNON : CETTE VILLE QUI, UN TEMPS, SUPPLANTA ROME

Témoin d'une époque où, paraît-il, les filles venaient danser sous ses arches, sommeille un pont tronqué que remplace aujourd'hui un moderne ouvrage à faire tourner, non plus la tête des filles, mais les roues des voitures.

Autre témoin, celui-ci, mais d'une fastueuse époque, le palais des Papes. Erigé au XIVe siècle par les « *papes d'Avignon* », ce formidable édifice ceinturé de remparts s'étend sur 15 000 mètres carrés, ce qui fait de lui le plus vaste monument du monde. Véritable forteresse, avec ses tours s'élevant à plus de cinquante mètres, le palais pontifical est constitué d'un véritable labyrinthe de salles dont chacune, par sa conception architecturale comme par sa décoration, montre à quel point l'Or (dont regorgeaient les caisses de l'Eglise) et l'Art sont complémentaires.

Une vue parcellaire d'Avignon.

La chapelle Saint-Nicolas.

*Evocation de Gérard Philipe,
cet acteur qui fut « Prince du festival d'Avignon ».*

La cour d'honneur du palais des Papes.

*Ci-contre : la place de l'Horloge
au moment du Festival.*

Derrière les remparts du « Petit Palais ».

La visite accompagnée du palais s'effectue en un laps de temps à l'évidence insuffisant pour découvrir dans sa totalité la profusion de salles, de vestibules et de chapelles. Parmi ce qui est montré au public, citons l'impressionnante *salle des festins,* avec ses cinquante mètres de long sur dix de large, la chambre à coucher du pape, aux bucoliques décorations, les chapelles *Saint-Martial et Clémentine,* les salles de tribunal de la *Petite* et de la *Grande Audience.* Egalement, la *salle du Consistoire,* elle-même contiguë à la *Trésorerie.*

La liste serait très longue de tout ce qui, en Avignon, mériterait d'être visité et nous sommes donc loin de l'avoir dressée. De ce véritable catalogue, citons toutefois la cathédrale de Notre-Dame-des-Doms. Bâtie vers le milieu du XIIe siècle, c'est là le seul édifice roman d'Avignon.

Du rocher des Doms, tout proche, la vue s'étend sur le Rhône, le pont Saint-Bénezet et Villeneuve-lès-Avignon.

L'intermède avignonnais dans la longue histoire de la papauté s'acheva en même temps que le XIVe siècle et le gigantesque palais s'enfonça à jamais dans le silence. Pourtant, et contrairement à l'image que donnent ci et là des villes ayant perdu leur puissance, Avignon montre, de nos jours, un tout autre visage. En effet, carrefour important au sein d'une opulente région, l'ex-cité papale a su accéder au triple rang de pôle *administratif, économique et culturel* — ce dernier aspect illustré (entre autres) par son célèbre *Festival de théâtre.*

Au musée du Petit-Palais, Botticelli est présent.

Ci-contre :
palais des Papes, la « Chambre du cerf ».

Page suivante : Avignon : la ronde de ses remparts
semble ne jamais devoir s'interrompre…

Le « Pont d'Avignon » aujourd'hui.

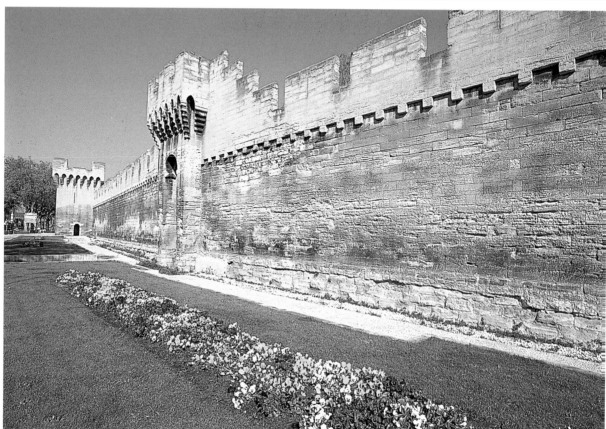

VILLENEUVE-LES-AVIGNON :
CITADELLE AVANCÉE DU « ROYAUME »

Enjambant le Rhône, un pont relie Avignon, l'imposante cité des papes, à Villeneuve, l'orgueilleuse cité-forteresse de Philippe le Bel, gardienne avancée du royaume de France aux limites des terres pontificales. Témoin l'impressionnant *Fort Saint-André*, l'arrogante *Tour Philippe-le-Bel*. A voir également, mais dans un tout autre registre : le musée de *l'ancien Hôtel de Luxembourg*, la *Collégiale Notre-Dame*, avec son inestimable Vierge du XIVe siècle en ivoire polychrome et, bien entendu, sa fantastique *Chartreuse*, la plus grande en France — elle forme véritablement une ville enclose dans la ville. La visite s'impose de son merveilleux cloître fleuri sur lequel s'ouvraient les cellules des moines.

CHATEAUNEUF-DU-PAPE :
LE « CASTEL GANDOLFO » VAUCLUSIEN

Venant de Villeneuve, le chemin menant au plus court à *Châteauneuf-du-Pape* (sur l'autre rive du Rhône) passe par *Roquemaure*. Nous sommes là au cœur d'un vignoble qui s'étend indifféremment sur l'une ou l'autre rive du fleuve. Il y a toutefois cette incontournable « appellation » de « châteauneuf », qui — quels que soient les incontestables mérites des « côtes-du-rhône » produits sur la berge gardoise — n'en joue pas moins le rôle prééminent qu'on lui connaît.

Voici un peu plus de six siècles, un vieillard chenu répondant à l'appellation (dûment contrôlée) de Jean XXII, choisit le site dont il est question pour y faire construire un château trapu. Lequel, aujourd'hui, nous présenterait bien plus que le pan de tour qui en subsiste si, en août 1944, les soldats allemands n'avaient, en prenant congé, fait sauter un stock de munitions qu'ils y entreposaient. Sous les ruines de l'ex-*Castel Gandolfo* vauclusien, il reste une magnifique salle aux voûtes intactes, dans laquelle se réunissent les cameriers et échansons de la grande confrérie vineuse qu'est *l'Echansonnerie des Papes*.

Le vignoble de *Châteauneuf* englobe une partie des communes de *Courthézon*, *Bédarrides*, *Orange* et *Sorgues*. Il s'étend de toutes parts, escaladant les coteaux abrupts ou déferlant parmi les compactes

Villeneuve : la tour Philippe le Bel.

Villeneuve : son extraordinaire Chartreuse

Villeneuve : son puissant Fort Saint-André.

Châteauneuf : un château érigé par le pape Jean XXII.

argiles, mais poussant de partout, sur un océan d'énormes cailloux, de non moins énormes ceps, noueux et tourmentés. Treize cépages le composent ; les quelque 3000 hectares de vignes qui le constituent produisent, bon an mal an, soixante-quinze mille à cent mille hectolitres de rouge et — seulement ! — quelques centaines d'hectolitres d'un vin blanc dont on raconte qu'il est une réminiscence des vins de messe des bons papes d'Avignon — ce dont profitent certains pour déclarer à qui accepte de trinquer avec eux : « Ce blanc, ça n'est ni debout ni assis qu'il faut le boire, mais à genoux ! »

Orange : le mur oriental du Théâtre antique.

ORANGE : UN TITRE PRINCIER POUR LES SOUVERAINS HOLLANDAIS

Pour se rendre à Orange (10 kilomètres nord) les Châteauneuvois (d'aucuns disent « Castelneuvois ») disposent d'une petite route tranquille — la D 68 — qui, loin du fracas et des tracas routiers comme autoroutiers, les dépose à l'orée de cette ville qui, après avoir été romaine, appartint, un temps, à la famille royale de Hollande — les « *Orange-Nassau* ». Rien d'étonnant, donc, à ce que les souverains néerlandais ajoutent à leur royale couronne le titre (toujours très prisé) de *Prince*

Ci-contre : Orange : vue (intérieure) du Théâtre antique.

Orange : le mur de scène du Théâtre.

Orange : l'Arc de Triomphe.

Carpentras : édifice du plus pur style XVIIIᵉ siècle, l'hôtel-Dieu.

(ou Princesse) d'Orange. Une particularité à laquelle mit fin Louis XIV en annexant la petite principauté.

De son *Arc de Triomphe* (entrée nord de la ville) édifié pour célébrer les victoires de César, au *Théâtre antique* (au sud) avec le *Gymnase* de 80 mètres sur 400 — l'un des trois seuls *gymnases* romains existant encore ; avec, sur la colline Saint-Eutrope, les traces d'un grandiose capitole ; avec l'ancienne cathédrale (sculptures antiques à l'extérieur, bel exemple d'art roman à l'intérieur) avec le musée (collection de toiles inspirées par l'artisanat local) les visiteurs sont assurés d'avoir un emploi du temps très bien rempli.

CARPENTRAS : L'UNE DES PLUS BELLES CITES PROVENÇALES

« Redescendant » d'Orange sur Carpentras, la route chemine au travers d'un plat pays qu'irrigue un véritable lacis de rivières et de ruisseaux. Au-delà, et quelle que soit la direction choisie (vers le plateau de Vaucluse, au sud ; vers Sault et le plateau d'Albion, à l'est ; vers le Ventoux, au nord-est ; ou Vaison, au nord) le relief s'accuse, creusé de vallons et bosselé de crêtes. Carpentras est donc tournée d'un côté vers les terres fertiles d'une plaine gorgée des plus riches

produits et, de l'autre, vers une montagne poussant toujours plus haut et plus loin les pentes de ses champs de lavande parsemées de ruches, où le ciel vient chercher ses couleurs et le soleil emprunter le bourdoiement doré de ses rayons.

La nature ayant conçu un tel écrin, restait aux hommes le soin d'y déposer un joyau qui ne le déparât point. Pari tenu, pari gagné !

Pour s'en persuader, il faut commencer par gagner l'imposante place Aristide-Briand. Nous sommes là au cœur de la cité. La première visite à effectuer est celle de *la maison du Tourisme*. En sus de très utiles guides sur la ville et ses environs, il s'y trouve un extraordinaire caveau des vins, propre à faire clapoter d'envie les lèvres les plus dédaigneuses. Sortis de cet antre de la tentation, il n'est qu'une portion de place à traverser pour rejoindre l'entrée de *l'hôtel-Dieu*.

Œuvre de Mgr Inguimbert, bienfaiteur de la ville, cet édifice du plus pur style XVIIIᵉ siècle comporte une suite de salles servant encore aujourd'hui de pharmacie à l'hôpital. Mais une pharmacie où, dans un riche décor de boiseries peintes, est conservée une fantastique collection de vases, poteries, flacons (Moustiers, Vieux-Marseille) où se lisent les noms de remèdes parfois malencontreusement oubliés : *Salsepareille, Hellébore, Fleur-de-Pied-de-Chat, Sang-de-Dragon...* on ne saurait tous vous les prescrire !

Puis, dépliant-guide en main, vous poursuivrez, « *pedibus cum jambis* », une facile promenade dans un circuit où le seul embarras que vous rencontrerez sera le choix à opérer, pour peu que le temps vous soit compté, entre :

— la fastueuse *cathédrale Saint-Siffren* et son musée d'art sacré ;

Le Vaucluse, véritable « grenier en Provence ».

— l'ancien *Palais épiscopal,* devenu palais de justice, dont, fort heureusement, les superbes pièces d'apparat n'ont point été... condamnées !

— l'opulente *Bibliothèque Inguimbertine,* riche de ses deux cent vingt mille volumes, elle-même attenante au passionnant *Musée Comtadin* (très intéressante documentation « judéo-comtadine ») qui abrite les portraits de Carpentrassiens célèbres, dont l'illustre *François-Vincent Raspail,* fondateur de l'anatomie pathologique, inventeur de la chimie biologique, mais également homme de tous les combats pour la liberté, ce qui lui valut le beau titre de « *Patriarche de la République* ».

Egalement, les musées *Duplessis, Soubirat, lapidaire ; l'Arc de triomphe, la Tour de l'Horloge, la Porte d'Orange, le passage Boyer* (incroyable rue vitrée), l'antique *synagogue,* monument classé construit au XVe siècle, avec, intacts, les trésors de son mobilier et de ses objets du culte.

Quant aux ressources gastronomiques de l'endroit, est-il besoin de citer les fameux *berlingots,* les *christines* (délicieuses brioches aux fruits), les *truffes...* ? De quoi inciter encore un peu plus à découvrir, ou redécouvrir, *Carpentras,* l'une des plus belles cités provençales !

Prendre, au sortir de Carpentras, la direction du nord implique forcément une halte à *Beaumes-de-Venise* (non point pour y godiller sur des canaux, ici inexistants) mais, bel et bien, pour y faire l'emplette de quelques bouteilles d'un vin muscat, spécialité de l'endroit au même titre qu'une succulente huile d'olive...

DE CARPENTRAS À VAISON PAR DES CHEMINS D'ENTRE VIGNES...

Quittant Beaumes, quelques tours de roues suffisent pour gagner Vacqueyras — cru fameux des « côtes-du-rhône » ! D'où, vraisemblablement, une autre halte... A partir de quoi, aucune raison ne pourrait être invoquée qui exclurait du quelque peu zigzagant itinéraire suivi les autres prestigieuses éti-

Vaison : le théâtre antique.

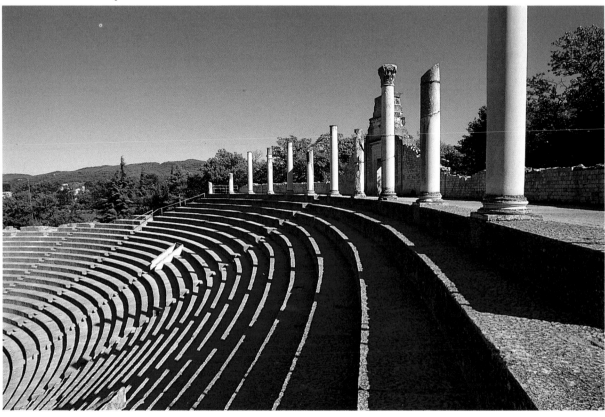

quettes que sont *Sablet* et *Séguret* — au demeurant très beaux villages (pour *Séguret,* revenir à Noël y admirer sa *crèche vivante* — le rôle de chacun des personnages de la Nativité étant dévolu « à vie » à un habitant du village). Vous parviendrez enfin à *Vaison,* conscients, cependant, d'avoir laissé de côté, car situés sur l'autre rive de *l'Ouvèze* (ça sera pour une autre fois) les non moins prestigieuses « haltes bachiques » de *Roaix, Rasteaux, Cairanne* — et même (pourquoi pas, bien qu'un peu plus éloignée) *Sainte-Cécile-les-Vignes !*

A noter, toutefois (et pour cela nous retournons quelque peu en arrière) que de Beaumes-de-Venise à Séguret vous aurez plus ou moins longé ces bien curieuses collines appelées *Dentelles de Montmirail.* Il s'agit, en fait, du dernier contrefort du Ventoux en direction du Rhône. Agréablement boisées, leurs pentes souvent couvertes de vignes, ces « *Dentelles* » doivent leur nom au caractère quasiment « déchiqueté » de leurs crêtes. Malgré leur faible altitude (730 mètres) le spectacle est saisissant de ces collines dressant dans le ciel, au milieu d'un vert tapis de pins et de chênes, leurs fines aiguilles de calcaire patiemment aiguisées par l'érosion.

VAISON « LA ROMAINE », CITÉ QUI, UN TEMPS, FUT GASCONNE !

Cruellement éprouvée par les terribles inondations de l'automne 1992 qui ravagèrent la vallée de l'Ouvèze, Vaison n'en reste pas moins cette ville qui, au fil des siècles, a su accumuler les trésors d'une histoire en perpétuel mouvement.

Parlant de *Vaison,* l'usage veut que l'on ajoute à ce nom cette précision : *la Romaine.* En fait, n'eût été une piquante histoire de moustiques, Vaison fût simplement restée *Vaison.* Il faut, pour expliquer la chose, remonter à l'époque de l'occupation romaine et retourner à Orange.

Or donc, en ce temps-là, les innombrables fonctionnaires en minirobe de la Rome impériale s'avisè-

Les fouilles de Vaison ont permis la mise au jour de passionnants vestiges.

Le marché à Vaison.

rent de ce que Vaison, capitale du pays des *Voconces,* bâtie dans un cirque fertile et, par conséquent, parfaitement protégée du mistral, offrait cet avantage supplémentaire d'être épargnée par les moustiques qui infestaient la vallée du Rhône. Ils se transportèrent donc, avec femmes, enfants, scribes et bagages dans ce pays de cocagne, ne laissant autour d'Orange que quelques garnisons dont les hommes, harcelés par des légions de moustiques bien plus nombreuses que les leurs, n'avaient d'autres ressources que de claquer leurs cuisses si mal protégées, sous l'œil rigolard des Gaulois — bien tranquilles dans leurs braies !

Mais, pour être romaine, Vaison n'en est pas moins double. Il y a la Vaison de la rive droite de l'Ouvèze, que l'on appelle *la ville basse,* et celle de la rive gauche, perchée sur son rocher du haut duquel d'aristocratiques demeures aux façades sculptées semblent contempler avec quelque dédain la tranquille cité marchande dont beaucoup plus de choses qu'une simple rivière et quelques minutes d'escalade la séparent.

Nous retournons là vers la fin du XIIᵉ siècle. Siège d'un puissant évêché, Vaison régnait sur quarante communes. De quoi attirer la convoitise des comtes de Toulouse, lesquels, faute de voir reconnus certains droits qu'ils affirmaient détenir sur Vaison, l'ex-romaine, firent en dernier ressort valoir ce droit sans appel qu'est le droit du plus fort. Ils investirent donc la ville et la détruisirent. Une cité nouvelle s'érigea alors sur le rocher et, passant d'une rive à l'autre, Vaison oublia

C'est à l'initiative de l'abbé Sautel que furent entreprises, depuis le début du siècle, les fouilles de Vaison. Ici, le portique de Pompée.

pour un temps qu'elle avait été voconce, puis romaine, puis épiscopale, pour devenir gasconne.

Mais comment traiter de Vaison sans parler de ses fouilles ? De ses fouilles et, naturellement, de leur promoteur, l'abbé Sautel. Grâce à cet infatigable fouisseur, Vaison montre depuis le début du siècle qu'en matière de vestiges elle n'a rien à envier à Saint-Rémy-de-Provence. Son admirable théâtre antique accueille d'ailleurs chaque année, du 15 juillet au 15 août, le célèbre festival « Vaison-Carpentras », tandis que les non moins célèbres *Choralies* rassemblent plusieurs milliers de choristes.

Vaison-la-Romaine, la vieille et la « neuve », la haute et la basse, une étape à ne point manquer !

Paysage du plateau de Vaucluse avec,
en toile de fond, le Ventoux.

VALRÉAS OU L'OMBRE DE LA TIARE SUR LES TERRES DU ROI

Venant de la vallée du Rhône, le choix s'offre, parvenus à Vaison, soit de poursuivre vers le nord (par *Mirabel-les-Baronnies*) jusqu'à *Nyons* et l'huile sublime de ses célèbres olives, soit d'obliquer, direction nord-ouest, vers cette enclave vauclusienne en territoire drômois, que constituent les communes de Valréas, Visan, Richerenches et Grillon.

L'histoire de cette enclave débute au XIVe siècle avec la vente faite par le dauphin de France, au profit des papes d'Avignon, des trois premières nommées de ces communes (la quatrième sera acquise ultérieurement, la papauté ayant regagné Rome). Mais les successeurs italiens des pontifes du Comtat manifestèrent vite l'intention de compléter leurs emplettes territoriales, de façon à supprimer le couloir séparant du Comtat (propriété pontificale) ces nouveaux domaines. Inquiet de voir l'ombre de la tiare grignoter ainsi celle de la couronne, le roi Charles VII opposa son veto à toute nouvelle vente, rendant ainsi définitif le caractère d'enclave de ce territoire.

Comme pour mieux marquer la différence, Valréas, chef-lieu d'un canton « un peu spécial », s'est doté avec le superbe *Château de Simiane* d'un extraordinaire hôtel de ville. Un château où naquit Pauline de Grignan, marquise de Simiane, la petite-fille de l'illustre Madame de Sévigné. La visite s'oblige de toutes les salles se succédant sur deux étages dans les

ailes « en retour », et que prolongent des terrasses, de ce somptueux édifice où, pour le plus grand bonheur des yeux, s'offrent plafonds à la française aux motifs floraux, murs ornés de nus en médaillons, frises à la gloire du cheval, masques de théâtre, amours ailés pointant leurs arcs... En juillet-août, le château de Simiane abrite le *Salon de l'Enclave*, où est traditionnellement exposée une sélection de toiles des meilleurs maîtres provençaux. A voir également — création récente — le musée du Cartonnage.

Quittant l'enclave, la visite s'oblige de Grignan et de son château, jadis fief du puissant seigneur du même nom, gendre de Madame de Sévigné qui y mourut. L'ombre de l'illustre épistolière ne cesse d'ailleurs de hanter le bourg de Grignan, voué tout entier au culte de la marquise.

MONT VENTOUX : UNE PROMENADE AUTOUR DU « GEANT DE PROVENCE »

Lorsque le soleil se lève, il semble, lui, se coucher, écrasant la plaine jusqu'aux portes d'Avignon sous une énorme masse : le fameux *cône d'ombre du VENTOUX*.

Le *Géant de Provence* barre l'horizon du levant au couchant sur 25 kilomètres. Sur son faîte, à une altitude dépassant 1900 mètres, se dressent un observatoire et un relais de télévision.

Parlant du Ventoux, Frédéri Mistral affirme que, certains matins d'été, trois soleils superposés s'y lèvent dans le même moment. Sans doute faut-il le

voir pour le croire, pourtant, une chose est certaine : du *sommet* (lorsque la brume n'occulte pas le paysage) on distingue aussi bien le *mont Blanc* que le *pic pyrénéen du Canigou,* les *massifs du Dauphiné* que *l'étang de Berre,* les *Cévennes* que *la mer au large de Marseille.* Soit un panorama qui, à peu de chose près, embrasse le quart de la France.

Venant de *Vaison,* on gagne *Mollans-sur-Ouvèze,* village à l'entrée duquel s'ouvre la D 40. Cette petite route va suivre à contre-courant le cours du *Tourlourenc,* une turbulente et toujours fraîche rivière, qui coule entre la *montagne de Bluye* et la face septentrionale du mont Ventoux. Sauf circonstance exceptionnelle, vous ne rencontrerez guère plus de monde sur cette route des bords du Tourlourenc, que vous n'en apercevrez sur les pentes de la montagne de Bluye, à votre gauche, ou sur les ubacs affreusement escarpés du *Géant,* de l'autre côté. En fait, cet énorme massif dresse un tel barrage entre la verte région qui s'étend au sud, et les rudes vallées enchâssées dans la barre rocheuse de son versant nord, qu'il n'est pas possible de parler *d'UN pays du Ventoux.* Le climat change, les hommes aussi.

BRANTES : UN ORGUEILLEUX FACE À FACE AVEC LE VENTOUX

Village perché sur les pentes de la montagne de Bluye, *Brantes* est un nid d'aigle plongé depuis des temps immémoriaux dans un orgueilleux face à face avec le Ventoux. Brantes où, voici quelques décennies, un artiste obstiné s'acharna à faire redécouvrir aux femmes des montagnes d'entre Ventoux et Baronnies les gestes de leurs grands-mères, fileuses de quenouilles. Homme-cocon, poète des fuseaux de lumière, qui voulait que le Ventoux redevînt le pays des vers du mûrier, le pays de la soie, Pierre Scherer fut également cet homme-garance, cet homme-cochenille, lichen, fustet qui, sur un feu d'enfer, au fond d'un chaudron de sorcier, retrouva la recette d'éblouissantes teintures, végétales comme animales. Il fut en outre l'homme-joie, *le campanié,* grâce auquel les cloches des églises autour du Ventoux réapprirent à chanter.

De Brantes, vous redescendrez vers *Sault* et le *plateau de Vaucluse,* et au prix d'un léger crochet, sur ce surprenant *Montbrun-les-Bains* au nom évocateur de casino et de thermes, mais où, de mémoire d'homme, jamais n'y a été remarquée l'ombre d'un curiste ! Puis, avant de quitter cette vallée, vous aurez un dernier regard pour ces pentes où ne demeurèrent longtemps que quelques vieux arbres effeuillés mais où semblent à présent refleurir de jeunes pousses d'hommes capables, parce qu'aussi patients que l'indestructible Ventoux dont ils sont les fils, d'attendre qu'une saison passe, elle-même suivie d'une nouvelle saison, après laquelle en reviendra encore une autre...

Et cela jusqu'à la fin des temps.

Pages précédentes : incendié durant l'Occupation (1944), l'antique château du Barroux — ancien fief des comtes de Toulouse et des seigneurs des Baux — est aujourd'hui parfaitement restauré (se visite de Pâques à la Toussaint).

Des oliviers, le beau village de Crillon et... le Ventoux — encore et toujours !

DEDANS ET AUTOUR DU LUBERON

Silvacane, Cadenet, Lourmarin, Bonnieux, Lacoste, Apt, Roussillon, Gordes, Sénanque, Fontaine-de-Vaucluse, L'Isle-sur-la-Sorgue, Cavaillon

*L'abbaye de Sénanque : avec Silvacane et le Thoronet,
l'une des « Trois sœurs cisterciennes » de Provence.*

Parce que placée tout près du pont de *Cadenet*, qui enjambe la Durance pour faciliter à la route son entrée en *Pays de Luberon*, traiter de *l'abbaye de Silvacane* constitue un prologue tout trouvé pour parler de ce même *Luberon* (notez bien que, tout *accent* oublié, le *be* de Luberon ne se prononce jamais : *bé !*).

Une précision, cependant, s'impose. *Silvacane* appartient au « tryptique » dit : *des trois sœurs cisterciennes de Provence.* Le péché ne serait donc nullement véniel, qui consisterait à ne point évoquer (pour le moins) les deux autres, à savoir ce joyau qu'est *Le Thoronet* (près Brignoles, dans le Var) et *Sénanque* (celle-ci se situant non loin de *Gordes*).

Jadis, sur cette rive de la Durance où fut (XIIe siècle) érigée l'abbaye, abondaient des roseaux qui venaient tendre autour de cette dernière un véritable rideau. D'où ce nom aussi agréable à dire qu'à écrire : *Silvacane :* « forêt de cannes » ! Les moines qui s'installèrent dans cette forêt inculte, jadis emplie d'autant de brigands qu'il y poussait de plumets, étaient des bénédictins. Fort heureusement, le coin avait été préalablement « pacifié » par d'autres moines appartenant, ceux-ci, à l'ordre musclé des *Frères pontifes,* dont on disait *que la corde qui leur ceignait les reins pouvait sans formalité aucune se retrouver passée autour d'une branche, un miracle ayant voulu que l'une de ses extrémités présentât un nœud coulant apte à envoyer* ad patres *n'importe quel mauvais larron.*

Hélas ! les Frères pontifes n'étaient plus là pour empêcher que, sous la conduite de l'abbé Othon, demi-frère de l'empereur Conrad III, les cisterciens de Morimond vinssent sans coup férir occuper les lieux patiemment asséchés et fécondés par les bénédictins. En fait, ce mauvais coup ne semble pas avoir porté chance à l'abbaye, laquelle, tantôt pourvue de biens immenses, tantôt tombée en décadence connut des sorts plus souvent contraires que favorables.

Silvacane : un site où, jadis, abondaient les roseaux, et qu'asséchaient les patients moines bénédictins.

LE LUBERON : FORMIDABLE MASSIF
LONG DE 65 KILOMETRES

Le temps n'est pas si lointain où, au lieu et place du moderne ouvrage actuel, l'ancien *pont de Cadenet* n'en finissait plus de faire entendre le tremblement des lattes de bois de son tablier au passage des *4 Cv, Frégate, Versailles* et autres *203* qui, l'ayant emprunté, n'avaient qu'une hâte, celle de le rendre au plus tôt...

De Cadenet (village qui fut celui d'André Estienne, le fameux *Tambour d'Arcole*) l'on est très vite à *Lourmarin*, au pied même du *Luberon*. Formidable massif que celui-ci ! D'orient en occident, il s'étend sur 65 kilomètres, des abords de Manosque (« capitale » des *Alpes-de-Haute-Provence*) à *Cavaillon*, culminant à un peu plus de 1100 mètres. Deux vallées viennent buter sur ses flancs : au midi, celle de la Durance ; au septentrion, celle du *Calavon*, autrement

appelé *Coulon*, suivant l'humeur de ses riverains. La première de ces vallées cultive une vocation maraîchère. Des asperges continuent donc d'y pousser autour de châteaux dont les larges fenêtres s'ouvrent aux rayons d'un soleil généreux. La seconde, au nord, s'entoure au contraire d'une austère ceinture de taillis, coupée ci et là par les chausse-trappes de profonds ravins. La vigne s'enhardit parfois à croître sur ces ubacs dont la raideur confère au vin qu'elle produit les ressources d'un robuste jarret.

LOURMARIN, LAURIS,
CUCURON, ANSOUIS, LA TOUR-D'AIGUES...

C'est à partir de Lourmarin — où s'ouvre la *combe* du même nom — que la route *Aix-Apt* va franchir le *Luberon*. Mais avant de nous y engager, faisons halte dans ce calme et paisible village. Lourma-

S'étendant sur plus de 60 km, l'énorme massif du Luberon barre l'horizon de Manosque à Cavaillon.

Lourmarin : son château Renaissance est bien plus lieu d'accueil qu'austère forteresse.

rin c'est d'abord, à l'évidence, un magnifique château Renaissance aux vastes salles ornées de cheminées monumentales et d'antiques galeries de bois. On y admire un escalier à vis, véritable joyau architectural, ainsi que de merveilleux jardins en terrasses. Mais Lourmarin, c'est également le cimetière où repose Albert Camus...

Rien n'empêche de différer l'incursion que propose la *Combe de Lourmarin,* au profit de la découverte de sites comme *Lauris* (à l'ouest) ou (à l'est) *Cucuron,* beau village accroché à flanc de montagne ; *Ansouis* et son fastueux château ducal, et même, un peu plus loin, *La Tour-d'Aigues,* où les vestiges de ce qui fut un autre merveilleux château témoignent de l'amour fou porté par un grand seigneur (le sire de Bolliers) à sa reine (« Margot », épouse du bon roi Henri IV).

Mais la *Combe* nous attend, et avec elle la route qui, ignorant délibérément au passage les sauvages mais superbes attraits de *Buoux* (restes d'une antique forteresse perchée sur un piton) va nous conduire à *Bonnieux.*

BONNIEUX-LA-BLANCHE, « PERLE DU LUBERON »

Contrairement à nombre de villages perchés, progressivement abandonnés par leurs habitants au profit de bourgs nouveaux situés — la sécurité venue — « en bas », dans la plaine, *Bonnieux,* l'ex-*Bonitas* romaine, s'est appliquée depuis deux millénaires à gravir la pente. Ainsi, de la plate bourgade qu'elle fut, ne subsistent que quelques vestiges, dont le plus important est le *Pont-Julien,* ouvrage en dos d'âne jeté sur le *Coulon.*

Bonnieux, donc, n'en finit plus d'étager ses blanches maisons autour d'une butte en forme de pyramide. Des *restanques* agréablement piquetées de bouquets de pins offrent aux promeneurs d'utiles pauses. Formant un itinéraire jalonné d'admirables portes du XVIe siècle, de voûtes et de passages taillés dans le roc, un escalier de quatre-vingt-quatre marches conduit à un belvédère qui du haut de ses 430 mètres

Bonnieux-la-Blanche, « perle du Luberon ».

permet d'embrasser un panorama s'étendant jusqu'aux lointains des monts de Vaucluse, jusqu'au sommet dénudé du Ventoux. Quelques marches encore et, sous l'ombre de cèdres multicentenaires, on découvre la vieille église, mi-romane, mi-gothique, habillée de patine et coiffée de pierres plates.

Sur le territoire de *Bonnieux* se trouve le *plateau des Claparèdes,* ex-oppidum datant de l'âge du bronze. Les hommes du *Néolithique* y habitaient dans des cabanes, sortes de clapiers à qui le *plateau* doit son nom. Dans ce site grandiose, et jusqu'en 1922, année où fut abattu le dernier d'entre eux, erraient des bandes de loups.

Les cèdres qui entourent la vieille église de *Bonnieux* ne sont que l'avant-garde d'une fantastique forêt qui, au-dessus du village, couronne le *Luberon.* Quasiment unique en France, cette forêt de cèdres s'étend sur des kilomètres, tout au long de la ligne de crêtes. Une route parfaitement goudronnée (mais d'un accès désormais réglementé) la traverse, parcourant,

de Bonnieux aux abords de Cavaillon, une quarantaine de kilomètres en se hissant à 700 mètres d'altitude. Site féerique, panorama d'une exceptionnelle beauté, tout était réuni pour faire de cet itinéraire l'une des plus extraordinaires promenades dont on puisse rêver. Les automobilistes qui ont eu le privilège d'effectuer cet inoubliable circuit peuvent, en connaissance de cause, en parler comme d'un paradis... perdu puisque maintenant interdit !

LACOSTE : UN MARQUIS « SANS CULOTTE »

A la différence de ce qui s'observe sur le flanc sud du Luberon où, nous l'avons vu, prévaut le style *Renaissance,* avec ses larges fenêtres ouvertes à la lumière, les châteaux situés au nord du massif conservèrent leur aspect médiéval, et l'on ne sait plus si leurs épaisses murailles chichement entrouvertes se bornaient à protéger leurs occupants des incursions de

Au château de Lacoste, partiellement restauré, le souvenir du marquis de Sade...

quelque bande armée, ou bien, se voulant ainsi pareillement inexpugnables, attendaient les assauts de leur plus redoutable ennemi : le vent glacial venu du septentrion. Cela était vrai pour *Lacoste,* se vérifiait à *Ménerbes,* se confirmait à *Oppède,* trois sites successifs que l'on gagne en prenant à partir de Bonnieux l'agreste D 109.

Parfaitement praticable, la petite route suit une course qui pourrait être celle d'un lièvre s'appliquant par de brusques coudes et d'imprévisibles plongeons à semer les poursuivants d'une meute lancée à ses trousses. La meute de l'un quelconque des châteaux qui jalonnent les pentes du Luberon, peut-être, mais certainement pas celle de *Donatien, Alphonse, Louis,* dernier marquis *de Sade !* En effet, les plaisirs cultivés par celui-ci en son superbe château de *Lacoste* ne sont rien moins que cynégétiques, le génial auteur de *La Philosophie dans le boudoir* et de *Justine ou les malheurs de la Vertu* préférant de toute évidence, au

basson des trompes de chasse, les rires aigus des filles que l'on chatouille dans l'ombre propice de quelque alcôve — dussent les chatouillis en question s'exacerber jusqu'à d'excessives exagérations...

Le marquis de Sade, cet aristocrate gagné aux idéaux libertaires, égalitaires et fraternels de la Révolution, ne vécut en son château de *Lacoste* que les quelques années qui précédèrent son incarcération à la Bastille, où il passa douze longues années, pour n'en sortir qu'en un certain mois de... juillet 1789.

Transformé par le marquis en une très belle demeure de quarante-deux pièces et décoré en un style Renaissance n'altérant en rien ce qui pouvait subsister de son caractère féodal, le château fut pillé à la Révolution. Son actuel propriétaire a entrepris depuis des années, avec l'appui des « Beaux-Arts » et l'aide de rebâtisseurs bénévoles un travail colossal : ressusciter cette incomparable œuvre d'art. Il a déjà obtenu d'excellents résultats.

Apt : la porte Saint-Pierre.
Pages suivantes : pour traiter de Roussillon-de-Vaucluse,
plus que la plume conviendrait le pinceau.

APT : DANS UNE MYSTÉRIEUSE ALCHIMIE...

Située sur la N 100, route qui sert de trait d'union entre les Alpes-de-Haute-Provence et la Provence rhodanienne, la belle petite ville d'Apt appartient sans doute au Luberon, puisqu'y aboutit la route qui, venue des bords de Durance, traverse le massif — axe *Cadenet/Lourmarin/Apt.* Mais c'est également d'Apt que prend son élan la départementale qui rejoint les confins orientaux du *plateau de Vaucluse.*

Mais ce qui fait la véritable originalité de cette ville, c'est qu'elle n'est rien moins que *la capitale du fruit confit.* La chose remonte à la fin du XIVe siècle, époque où, d'une mystérieuse alchimie de chaudrons et de cornues, les fruits, le sucre et le miel commencèrent de se transmuter en ces somptueuses gâteries qui font, de la bonne ville d'Apt, la renommée et la prospérité.

C'est à partir d'Apt que s'ouvre le fameux *circuit de l'Ocre,* dont les principales étapes sont le « *Colorado français* » de *Rustrel* (suite de carrières d'ocre abandonnées, véritable labyrinthe polychrome dont le tracé se déroule au travers de surprenants cañons et de majestueux belvédères) puis, bien entendu, l'extraordinaire, l'incomparable *Roussillon-de-Vaucluse !*

LES OCRE SPLENDEURS DE ROUSSILLON-DE-VAUCLUSE

Pour traiter de *Roussillon-de-Vaucluse,* plus que la plume conviendrait le pinceau, et plus que le papier la toile. Encore que d'aucun tube ne puissent jaillir des couleurs semblables ! Des couleurs qui ne sont tributaires d'aucune floraison, d'aucune pousse de bourgeons. Car elles sont celles de pierres immuables, les fameuses falaises d'ocre de *Roussillon.*

Exploitées, sans doute, avant même que le bourg ne fût édifié, les carrières offrirent aux maçons pour leurs crépis une palette riche de dix-sept nuances pures. Ce qui explique que, sur la place, le café-tabac ait eu une façade orange devenant rose au premier étage (avec des persiennes bordeaux) et qu'un peu plus bas, à une suite de murs offrant un dégradé de toutes sortes de jaunes, ait succédé un camaïeu de bleus suivi d'un savant barbouillis de blancs, de bistres, de rouges, de verts...

De quoi hurler ? Non, absolument pas ! Car, sur ce désordre, sur cette débauche, sur cette orgie de couleurs, il suffit que se pose le plus léger, le plus ténu, le plus timide des rayons de soleil, pour qu'aussitôt ce lacis de rues pentues et de ruelles tortes, ce tapis de tuiles des toits en contrebas s'illuminent comme les facettes d'un diamant, imposant aux regards éblouis l'époustouflante image d'une Création, imputable à l'homme, celle-ci : la Création du septième jour...

A quelques pas du village, vous visiterez le *Val des Fées* et emplirez le creux de vos mains de cette fine poussière aux mille couleurs qui, pressée, tassée, compressée, s'érige en hautes aiguilles pointées vers l'azur. Et, dans les immenses cavernes d'exploitation désertées, incroyables cathédrales aux plafonds taillés en ogive par de savants coups de pioche, un rai de soleil perçant par quelque faille embrasera soudain le sol, juste sous vos pas, et vous aurez l'impression de marcher sur un impalpable et moelleux vitrail aux somptueux reflets.

GORDES : UN CHÂTEAU FORT DEVENU CIMAISE...

Une pincée de kilomètres seulement sépare Roussillon-de-Vaucluse de *Gordes* (ses *bories* et le village qu'elles forment ; ses célèbres *pierres blanches,* son magnifique château Renaissance — ou plutôt « forteresse à ornementation Renaissance » devenue « *Musée Vasarely* »).

Propriété, successivement, des familles *d'Agout, de Simiane, de Bouillon, de Rohan* et *de Condé,* le château fut presque toujours délaissé par ces grands seigneurs qui, loin des fastes de la Cour eussent tristement dépéri. Il leur manquait, à l'évidence, un *Vasarely* pour drainer vers *Gordes* un flot de visiteurs. C'est chose faite de nos jours.

Ce château partage avec une église massive le sommet de la colline sur laquelle est édifié un village dont les maisons sont faites de ces pierres « blanc-gris » qui donnent au pays alentour ses couleurs particulières. Arrivant à *Gordes,* et parvenus à l'avant-dernière boucle de la route, le point de vue est admirable de ce promontoire couronné de longues façades de maisons qui par leur couleur se confondent avec la falaise qui les porte, au point que l'on ne sait plus très bien où se termine le roc et où commencent les fondations des dites maisons.

Le château présente au septentrion une façade d'environ 40 mètres qu'encadrent deux tours rondes comptant 20 mètres pour la hauteur et 8 pour le diamètre [1].

Au midi, apparaît une façade monumentale dont les *échauguettes* qui la flanquent contribuent à

---

1. Rien à voir avec certaine colonne d'airain, dite « *du Temple de Salomon* », dont les dimensions se formulent, elles, en coudées.

Gordes et ses célèbres pierres blanches.

conserver à l'ensemble une allure guerrière, mais dont les innombrables *fenêtres à meneaux* qui l'éclairent en adoucissent l'aspect, rappelant que les lumières de la Renaissance sont parvenues jusqu'ici pour dissiper à tout jamais les ombres du Moyen Age.

Chose curieuse, on a souvent rapproché l'art cinétique de Vasarely de la géométrie minutieuse, tant de ces centaines de bories qui s'observent alentour, que de celle tout aussi rigoureuse du fantastique escalier à vis formé de marches de plus de deux mètres de portée — un même rapprochement étant fait avec le plafond à la française de l'immense salle du premier étage, comme avec les nuances du carrelage, ainsi qu'avec des vitraux qui savent à eux seuls composer une inépuisable palette.

A l'intérieur comme à l'extérieur, le décor était donc planté. Restait à le garnir : Vasarely s'en est chargé en y exposant jusqu'à mille cinq cents de ses

Bories : ici « les trois soldats ».

créations. Au visiteur de juger si c'est l'œuvre qui a trouvé un cadre à sa mesure ou l'inverse, l'important étant seulement de considérer qu'il y a entre cette antique forteresse provençale et l'art bizarre de ce génial peintre magyar, la plus heureuse des rencontres.

*Bâties sur un promontoire escarpé,
les maisons de Gordes semblent vouloir étirer toujours plus haut leurs étroites façades.*

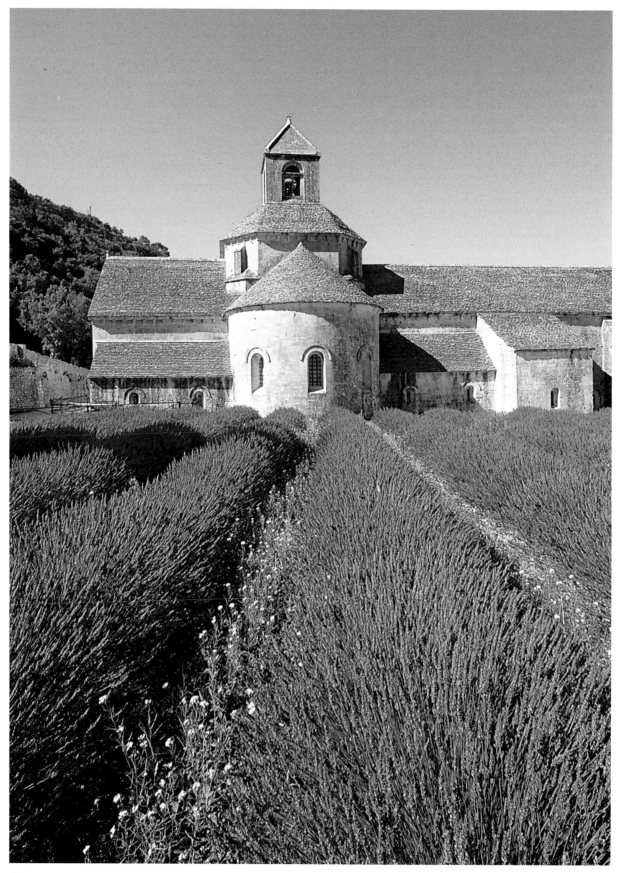

SENANQUE :
AU FOND D'UN VALLON PERDU...

Passé Gordes, la route laisse sur sa gauche le chemin de grande randonnée par lequel, au travers des contreforts boisés du *plateau de Vaucluse,* les marcheurs impénitents peuvent gagner *le Mourre de la Belle Etoile* et, de là, redescendre sur *Saumane* ou *Fontaine-de-Vaucluse*. Pour les autres, l'option retenue consistera à rouler quasiment à flanc de falaise dans l'étroit sillon que dessine l'aride *vallée de la Sénancole*. C'est au fond de ce ravin sauvage aux bords tapissés de lavande que nous apparaît *Sénanque*, abbaye qui, avec *Silvacane* (dont nous avons déjà parlé) et *Le Thoronet* contribue à former *le trio* des « *sœurs cisterciennes de Provence* ».

Comme ses sœurs, *Sénanque* respecte le strict plan cistercien. On y retrouve donc la large nef à trois travées, les piliers sans chapiteaux, les fenêtres en plein cintre. Il faut également en admirer le cloître,

Sénanque : le « plan cistercien » dans toute sa rigueur...

dont les pierres ont gardé leur blancheur primitive. Mais il faut également compter avec des sculptures — ornements qu'eût sans doute désavoués saint Bernard — et qui contribuent à faire comprendre pourquoi le rigorisme monacal s'exprime ici avec beaucoup moins de force qu'au *Thoronet*.

Ci-contre : Sénanque : au fond d'un vallon perdu surnage une abbaye que semblent vouloir engloutir les flots de lavande.

Un admirable cloître voûté en berceau dont les arcades en plein cintre se confortent de fines colonnettes aux chapiteaux richement ornés.

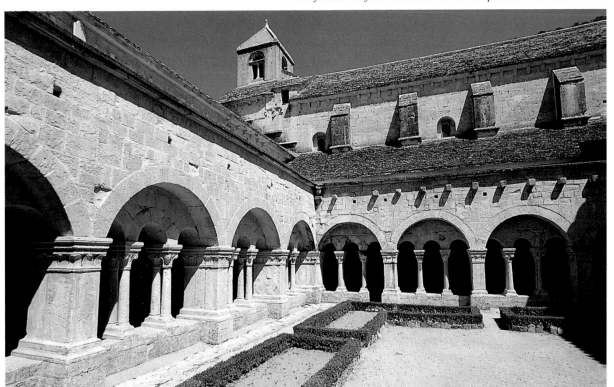

Dans l'espace restreint demeuré disponible entre l'église et le torrent, les bâtisseurs ont réussi à placer toutes les dépendances utiles à la vie de la petite communauté — la cuisine occupant toutefois une position « à cheval » sur le torrent des plus acrobatiques...

Revenus en 1927, les derniers moines *cisterciens* de Sénanque avaient abandonné l'abbaye en 1969 pour se replier au large de Cannes (île Saint-Honorat) où se trouve leur maison mère. Ils sont aujourd'hui de nouveau présents.

QUAND FONTAINE-DE-VAUCLUSE S'APPELAIT « VAUCLUSE-LA-FONTAINE »

« *Vallis-Clausa* » la « vallée close » des Latins, porta jusqu'en 1946 le joli nom de *Vaucluse-la-Fontaine,* appellation qui heurta sans doute le cartésianisme étroit de quelque technocrate et fut donc remplacée par celle (point catastrophique au demeurant) de *Fontaine-de-Vaucluse.*

C'est de Fontaine-de-Vaucluse que s'élance la Sorgue.

La mystérieuse « résurgence » de Fontaine-de-Vaucluse.

Ses visiteurs y viennent admirer pêle-mêle : le gouffre ; la maison transformée en musée du célèbre poète florentin *Pétrarque* (le souvenir de cet amoureux de légende demeurant inséparable de celui de sa *Laure* bien-aimée) ; les vestiges du canal romain, l'église romane du XIᵉ siècle ; le prieuré de Saint-Véran (patron du village) ; la fabrique dite *Cristallerie des papes ;* le merveilleux *moulin à papier,* dépositaire des secrets de techniques traditionnelles du XVᵉ siècle. Plus, tout au long d'un passionnant parcours, une foule d'artisans aux prestigieuses créations. Sans oublier (récemment créé à l'initiative de Jean Garcin, président du conseil général du Vaucluse) un *Musée de la Résistance, « véritable mémoire des années noires de l'Occupation »,* en même temps que témoignage sur la Résistance, en général, et dans le Vaucluse, en particulier.

Mais ce qui, à *Fontaine-de-Vaucluse,* constitue « l'attrait », par excellence, l'engouement majeur, est cette *résurgence,* autrement dit le gouffre aux insondables profondeurs, dont, en cette dernière décennie de notre siècle, le mystère n'est toujours pas véritablement élucidé, et d'où naît *la Sorgue,* fraîche et bondissante rivière dotée d'un système naturel de régulation qui, dès la sortie du gouffre, fonctionne avec une ahurissante efficacité. Ainsi, quelle que soit la saison, et sans jamais connaître la moindre crue, la *Sorgue* affiche un débit régulier pouvant atteindre 200 000 litres par seconde, largement suffisant pour que *tous les bras de la Sorgue* continuent à remplir leurs lits et donc leur mission : faire de ce coin de Provence une oasis de verdure et de fraîcheur.

« *Tous les bras* » car, très vite, le flot sorti du gouffre de *Fontaine-de-Vaucluse* va se subdiviser en plusieurs rus, formant de la sorte le paradisiaque jardin auquel il a donné son nom : « *le pays des Sorgues* ».

L'ISLE-SUR-LA-SORGUE : DES ROUES SANS LESQUELLES...

Ainsi, coulant souvent parallèlement à elle-même, cette étrange rivière s'applique à former autour d'une

Enserrée au creux de multiples bras d'eau, L'Isle-sur-la-Sorgue est surnommée : « la Venise comtadine ».

langue de terre ornée d'une fine moustache d'arbrisseaux la pulpe malicieuse d'une moue, ou la courbe alanguie d'un sourire. Et toutes ces lèvres s'entendent pour former une ville !

En effet, 5 kilomètres à peine après avoir quitté *Fontaine-de-Vaucluse,* l'on peut découvrir la ravissante petite ville de douze mille habitants qui a pour nom : *L'Isle-sur-la-Sorgue.* La profusion de bras d'eau qui la fouillent et l'entourent a valu à celle-ci le joli surnom de « *Venise comtadine* ».

Dans ce *pays* fait de berges mobiles capables de glisser indéfiniment à la poursuite d'un flot d'écume verte — et qu'a si bien célébré, sa vie durant, l'un de ses fils tumultueux et tenaces : le poète *René Char* — il convient de rappeler que l'époque n'est pas si lointaine où tournaient, « à l'Isle », des dizaines de fabriques traitant le papier, la laine, la soie. A cette floraison de petites industries, une explication évidente : l'inépuisable et peu coûteuse énergie fournie par ces cinq bras de la Sorgue, qui n'en finissent plus d'explorer les moindres recoins de la cité. On a ainsi pu compter jusqu'à soixante roues à aubes, disséminées un peu partout, dont dix-sept dans la seule *rue de l'Arquet.*

Même inactives aujourd'hui, il reste encore assez de ces roues qu'enveloppe une mousse vénérable, pour doter *L'Isle-sur-la-Sorgue* d'éléments décoratifs du plus heureux aspect — et qui font de ses multiples quais des endroits où il fait si bon flâner et rêver...

CAVAILLON :
LA CAPITALE D'UN PAYS DE COCAGNE !

De *L'Isle-sur-la-Sorgue,* il n'est que de rouler « plein sud » sur une dizaine de kilomètres pour gagner *Cavaillon,* ville qui jouit de la réputation nullement usurpée d'être à la fois le verger et le jardin potager de la Provence et, grâce aux deux cent mille et quelques tonnes qui s'y distribuent chaque année, d'être le tout premier « marché à la production » de France.

Le cadre où s'épanouit cette prospère cité bénéficie des ressources offertes par un Luberon tout proche. Grâce à quoi ses étalages regorgent de lapins qui sont les meilleurs du monde parce que nourris à satiété de *thym* et de *romarin* (en langue provençale, *farigoule* et *roumanièu*). Quant aux truites, n'oublions pas que les eaux de la Sorgue sont là, où elles abondent, avoisi-

nant parfois (record établi près de Fontaine-de-Vaucluse) les dix kilos ! Puis, sans quitter le domaine de la bouche, l'on ne saurait trop recommander l'huile savoureuse et les olives — ô combien parfumées ! — produites par les oliviers miraculeux de la *colline Saint-Jacques.* Enfin, comment passer sous silence les fameux *melons,* indécrochables du nom de *Cavaillon ?* Des melons qui, confits, ornent suffisamment de vitrines pour que vous pensiez à en faire l'emplette. Cela pour votre régal et celui de vos parents et amis.

De ce qui précède, n'allez surtout pas imaginer Cavaillon sous le seul aspect d'une grosse, grasse et opulente agglomération, réduite à une simple fonction de marché permanent. Car cette ville du Comtat dispose de ressources qui ont pour nom : *la chapelle Saint-Jacques* et son *splendide ermitage ; l'ancienne cathédrale Notre-Dame-de-Saint-Véran,* avec son cloître roman du XIVe siècle, ses boiseries dorées du XVIIe, ses tableaux des deux *Mignard,* comme de *Parrocel* ou de *Daret.* Sans oublier, faisant pendant à celle de Carpentras, une synagogue aux magnifiques boiseries Louis XV, au rez-de-chaussée de laquelle, installé dans l'ancienne boulangerie où cuisaient jadis les *matsoth,* figure un très intéressant petit musée judéo-comtadin.

...illon : Notre-Dame-de-Saint-Véran.

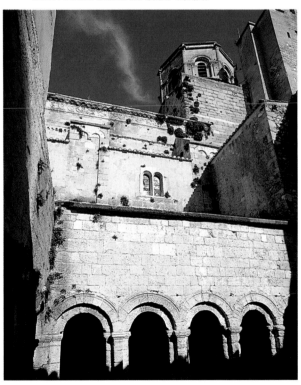

LA PROVENCE DE GIONO

Forcalquier, Banon, Ganagobie, Sisteron, Manosque

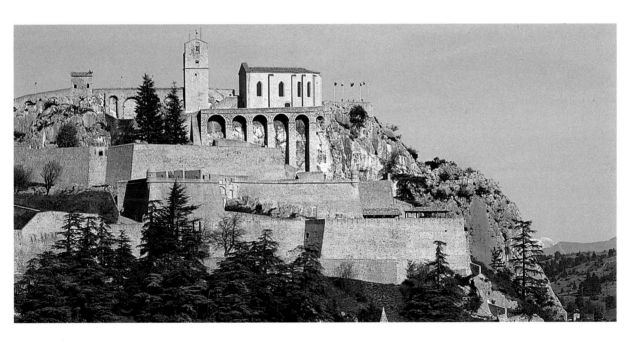

*Passage obligé de Provence en Dauphiné, Sisteron semble guetter,
sur une route à laquelle Napoléon a donné son nom,
quelque très improbable retour...*

Dans l'armorial des nobles routes de Provence, la N 100 porte pour le moins une couronne ducale. En effet, née *Gavotte*, puisque, ayant poussé ses premiers galops au bord de la Durance, cette intrépide amazone va, du levant au couchant parcourir trente lieues, traversant successivement Forcalquier, Apt, L'Isle-sur-la-Sorgue, puis devenir papale en enjambant le Rhône en Avignon, pour finir gardoise — et donc quelque peu huguenote — en terminant sa course contre les piles du Pont du Gard.

A noter, toutefois, qu'avant de s'appeler « N 100 », cette route n'était rien moins que la célèbre *Via Domitia,* ainsi nommée car ouverte par un consul romain « à la barbe blonde comme l'airain », *Domitius Aenobarbus,* pressé de disposer, pour lui et ses éléphants, d'une telle voie.

FORCALQUIER

Nous allons quant à nous — venant d'Apt, par exemple — la laisser nous amener à *Forcalquier,* ville qui porta jadis le titre de « capitale de la Haute-Provence » et qui eut le privilège de voir quatre de ses filles (toutes nées de l'union de *Béranger V, comte de Forcalquier* et de *Béatrix de Savoie*) devenir reines — *Marguerite* ayant épousé *Louis XI, roi de France ; Eléonore, Henri III d'Angleterre,* et les deux autres sœurs, *l'empereur d'Allemagne* et *le roi des Deux-Sicile.*

Il est plaisant de découvrir Forcalquier un jour de marché. Dans ces occasions, il n'est aucune rue, placette ou boulevard où puisse se trouver un recoin de trottoir ou de chaussée ne recelant quelque étalage — l'apothéose de ce grandiose déballage se situant sur la place Saint-Michel, quasiment au pied de la vaste église, ancienne cathédrale. Après le sympathique tohu-bohu du marché, la visite s'impose des rues, tout de même plus calmes, de la ville-haute, et cela sans jamais cesser de grimper, jusqu'au sommet. Un véritable belvédère où se remarquent les vestiges du château comtal, mais surtout le sanctuaire de Notre-Dame de Provence. A noter enfin que Forcalquier possède un cimetière considéré, avec ses allées bordées d'ifs véritablement « ciselés », *comme le plus beau cimetière de Provence.* Cet extraordinaire

Le cimetière de Forcalquier est considéré comme le plus beau de Provence — si ce n'est du monde !

*Loin du tohu-bohu et des encombrements de la circulation,
un lieu comme cette place de la Fontaine-Saint-Michel donne de Forcalquier la véritable image.*

Campo santo est d'ailleurs inscrit à *l'Inventaire des sites.*

Mais découvrir Forcalquier ne se limite point à la seule visite de la cité. Car Forcalquier, c'est au moins autant un « pays » qu'une ville. Ainsi du joli village de *Saint-Michel-l'Observatoire, avec les champignons géants* de ses douze coupoles — dont l'une abrite un télescope de près de deux mètres de diamètre. Ce qui offre un contraste certain avec les portions encore intactes des remparts du village tout proche, derrière lesquels on peut admirer des maisons aux fenêtres à meneaux, d'antiques enseignes, des balcons en fer forgé, des portes ouvragées du XIIe siècle...

Il faudrait citer aussi (pêle-mêle) Mane et son superbe château, Dauphin et son vis-à-vis Saint-Maime, avec leurs buttes posées sur la frange d'un vert tapis de prairies et de bois, Oppedette et ses gorges... Bref, plus qu'une simple visite, de quoi justifier un inoubliable séjour !

BANON :
UN PAYS DE FUTAIES MULTICENTENAIRES

A une époque encore récente où l'on préférait récolter le miel et la lavande, l'huile et la truffe, faire le fromage et engraisser l'agneau, que nourrir... des complexes, c'est-à-dire au temps où des Alpes jusqu'alors inconnues (les Alpes dites « de Haute-Provence ») n'avaient pas encore remplacé les « Basses-Alpes », le village dont il va être question eût été naturellement qualifié « d'authentiquement bas-alpin ». En fait, et quelle que soit la sorte d'Alpe à laquelle on choisit de se référer, celui-ci appartient beaucoup plus aux Monts de Vaucluse, et plus précisément au pays d'Albion. Ici, venant de Forcalquier et parvenus à 800 mètres d'altitude, les lointaines perspectives de pâtures, de champs et d'alignements de lavande sur lesquels se repose le regard dans le pays d'entre Durance et Verdon sont oubliées. Le pays est devenu rude. Et si le regard, ici, dispose de

Banon : un « pays » entouré de futaies multicentenaires, mais également un village d'allure médiévale.

larges trouées par où s'échapper, c'est pour se condamner à parcourir d'interminables lignes de crêtes coupées de noirs vallons...

C'est de Banon qu'il s'agit. Une rivière y coule : le Calavon. Mais celle-ci passe plus de temps, paraît-il, à couler dessous que dessus son lit. Ce qui lui permettrait de participer à l'alimentation souterraine de Fontaine-de-Vaucluse, à douze lieues de là en trajectoire de taupe.

Au tournant d'un large défilé, l'apparition est austère de ce village qu'une enceinte quasi médiévale couronne plus qu'elle ne le ceint. L'impression qui domine est d'être parvenu en l'un de ces lieux que l'on se surprend à nommer « bouts du monde » et dont tous les chemins qui y mènent semblent se disputer le titre de chemin le moins fréquenté, de chemin le plus désert qui soit.

Celui que, pour notre part, nous préconisons part de Reillane — sur la N 100, à une quinzaine de kilomètres de Forcalquier — et hisse ses rares usagers jusqu'à *Vachères* et, de là, toujours cap au nord, à Ba-

non. Parfaitement carrossable, cette route grimpe sans efforts jusqu'à un millier de mètres d'altitude, en se frayant un passage dans un paysage que décrit si bien Jean Giono dans son admirable *Hussard sur le toit* :

« *L'horizon était un serpentement de collines légèrement bleutées. Le côté vers lequel se dirigeait Angelo était occupé par le corps gris d'une longue montagne. Le pays qui l'en séparait encore était hérissé de hauts rochers semblables à des voiles latines à peine un peu teintées de vert, portant sur leurs tranchants des villages en nids de guêpes...* »

Tel apparaît encore ce pays de futaies multicentenaires, dont les chênes qui les composent sont d'une telle qualité que Colbert — qui y puisait un matériau de prédilection pour la construction des navires du roi Louis XIV, son maître — « avait fait défense aux chèvres d'en brouter les jeunes pousses », montrant ainsi qu'il était plus préoccupé par le souci de lancer des vaisseaux de cent canons que par l'avenir des fromages de Banon — ces célèbres fromages délicatement enveloppés de feuilles vertes... mais dont l'éti-

Ganagobie : le portail (du plus pur style clunisien) de son église est unique en Provence.

Pages suivantes : plus septentrionale que ne l'est Manosque, Sisteron dispute à celle-ci le titre de « Porte de la Haute-Provence ».

quette affiche trop souvent, de nos jours, une origine tout à fait étrangère à Banon !

Ne manquez donc point l'occasion, étant sur place, de faire emplette — *frais, moelleux, crémeux ou secs* — de ces délicieux petits fromages (banons « de Banon ») pour la production desquels des générations de chèvres gourmandes envoyèrent par le fond de leurs mamelles, avant même qu'ils ne fussent construits, plus de vaisseaux que ne nous en coulèrent jamais les Anglais...

GANAGOBIE : ADMIRABLE BELVEDERE SUR LA VALLÉE DE LA DURANCE

Pour vous qui, peut-être, ne connaissez pas encore cet admirable belvédère sur la vallée de la Durance, sachez que le chemin qui va vous y conduire prend naissance sur la N 96, passé *Manosque*, passé *Volx* et *La Brillanne*, soit tout juste 8,5 kilomètres avant *Peyruis* (ne point confondre avec *Pertuis*, mais ne point confondre, non plus, avec la petite route s'ouvrant un

peu plus loin, et qui conduit, celle-ci, à la mairie de Ganagobie et non pas au prieuré et au plateau du même nom). La route qui dessert ceux-ci — celle, donc, qu'il vous faut prendre — déroule ses lacets jusqu'à 700 mètres d'altitude.

L'endroit, c'est évident, s'impose d'emblée comme une sorte de monument naturel — encore qu'il faille attribuer à la main de l'homme la superbe, l'énorme *borie* dont la découverte, par le promeneur, précède celle d'une admirable abbaye clunisienne du XIIe siècle, considérée, en la matière, comme l'un des joyaux de la Provence.

De style *roman-provençal*, l'église, à nef unique, est dotée d'un extraordinaire portail, superbement décoré. Elle comporte un transept double dont la restauration permit de faire apparaître de très belles mosaïques du XIIe siècle, d'inspiration nettement orientale.

L'église se visite tous les jours, sauf le lundi, et cela de 15 heures à 17 heures.

C'est à Ganagobie que le peintre Monticelli passa une partie de son enfance, ses parents nourriciers habitant la ferme bâtie tout contre le couvent.

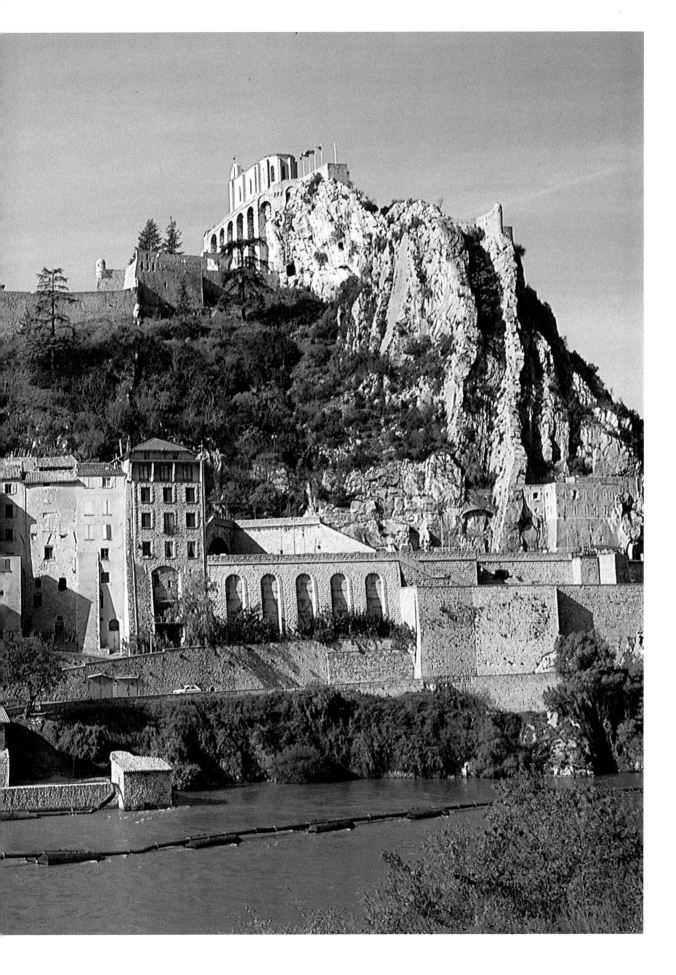

Ganagobie : un belvédère, une très belle abbaye, certes, mais aussi cette immense étendue d'un plateau où, sur un épais tapis de feuilles d'yeuses, croissent dans la plus totale liberté des troupeaux d'oliviers, de chênes verts et d'amandiers...

SISTERON : DE FORMIDABLES TOURS QUE NE RELIENT PLUS ENTRE ELLES... QUE DES SOUVENIRS !

Passage obligé du Dauphiné en Provence, et située sur la « Route Napoléon », la ville de Sisteron, de la fin du V⁰ siècle jusqu'à celle du XVII⁰, passa le plus clair de son temps à subir les assauts de toutes les troupes — simples forbans comme envahisseurs patentés ; « ligueurs » comme « religionnaires »... D'où la décision, prise en 1372 par le *Conseil de ville,* d'enclore la cité dans une enceinte flanquée de puissantes tours. Ce qui, soit dit en passant, n'empêchera point les guerres de Religion d'y faire rage pendant quarante ans (1560 à 1600) au point que, la paix revenue sous le règne du bon roi Henri IV, l'ex-*Segustura* romaine n'était plus qu'un amas de ruines (*ad majorem Dei gloriam...*).

De cette formidable ceinture de remparts, seuls subsistent encore quelques tronçons. Quant aux tours (à l'origine au nombre de dix-neuf), trois demeurent encore mais, pour ce qui les concerne, parfaitement conservées. Faute de leurs remparts disparus, elles ne sont plus reliées... que par des souvenirs. Ceux, par exemple, attachés aux quarante évêques qui (faits « *princes de Lurs* » par Charlemagne) y régnèrent. C'est l'un d'entre eux qui, en l'an 1030, entreprit la construction de la cathédrale — aujourd'hui « église Notre-Dame » (magnifique spécimen — en compagnie de celle d'Embrun — du style *lombardo-provençal*).

Sans cesse remaniée tout au long des siècles, l'impressionnante citadelle de *Sisteron* fut édifiée beaucoup plus tardivement. L'essentiel de cette réalisation doit être attribué à un précurseur de Vauban, Jean Erard, ingénieur d'Henri IV.

La visite de la citadelle — qui du haut de son mamelon offre un incomparable panorama — ne saurait être esquivée, pas plus que celle du « Vieux Sisteron », avec ses voûtes livrant chichement passage à d'étroites ruelles bordées de maisons prodigues en étages.

Mais Sisteron, grâce à la profusion de rivières « *qui lui coulent autour* » (le *Jabron,* le *Buech,* le *Mézion,* le *Sasse,* le *Vanson*) connaît l'invite d'autant de vallées, dont chacune vaut qu'une (agréable) promenade lui soit consacrée.

Ci-contre : Manosque : la Porte des Remparts.

L'impressionnant Rocher de la Baume évoque ici quelque puissant pachyderme veillant sur la bonne ville de Sisteron.

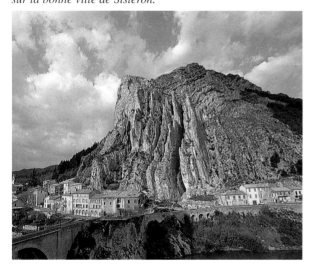

MANOSQUE DU TEMPS PRESERVÉ

Les exemples ne sont pas nombreux d'auteurs capables, comme c'est le cas pour Jean Giono, de s'identifier à leur région au point de voir chacun de leurs ouvrages correspondre à un jalon planté sur l'itinéraire qui, tout au long des pages de leur vie, comme au fil des péripéties de leur démarche littéraire, nous fait avancer dans la double et pourtant unitaire découverte d'un homme et de son œuvre.

Ainsi de Manosque — celle de *Jean le Bleu,* mais surtout du *Hussard sur le toit ;* ainsi de son héros, *Angelo,* qui après son hallucinant périple « du choléra » (qui ne fait que reconstituer le voyage solitaire accompli par Giono enfant en 1904 — *Vachères, Banon, Séderon, la montagne de Lure, les Omergues, la vallée du Jabron...*) se retrouve contraint d'arpenter non plus les rues, mais les toits de Manosque.

Manosque : place de l'Hôtel-de-Ville.

Il n'est point de description de cette ville enclose dans ses remparts, qui ne s'attache à souligner le caractère médiéval de sa structure formée de deux parties, dont la plus récente se plaque et s'enroule, du midi au septentrion en passant par l'orient, contre « l'œuf » que dessine l'agglomération primitive.

Sans doute, et là comme ailleurs, cette cité est-elle sortie de son cocon de pierre pour faire toujours plus loin se gonfler le béton de ses modernes quartiers d'habitations verticales. Des habitations ne communiquant point entre elles par leurs greniers, et sur les toits desquelles *Angélo* eût été bien en peine d'aller et venir !

Mais, et justement grâce aux remparts érigés par ses prévoyants concepteurs, Manosque a réussi, tout en devenant *autre*, à demeurer *elle-même*. Nous voulons parler de cette Manosque quasiment intacte derrière sa double ceinture de murailles et de platanes. Cette *Manosque* que le temps écoulé a tenu à entraîner avec lui, au rythme de ses inlassables battements sur le cadran des jours enfuis et des nuits à faire se renaître d'incertaines aurores.

Cette Manosque-là, on y pénètre venant du sud par la porte Saunerie, et venant du nord par la porte Soubeyran. Dans le maillage serré que forment ses rues et ses espaces, elle a gardé sa parure d'églises aux voûtes sonores, ainsi que ses anciens couvents ou monastères où ne s'entrevoient plus que de souvenir les robes de bure des moines manosquins et moniales manosquines d'autrefois. Le tout surmonté par une frondaison de tours, clochers et campaniles... A noter que s'ouvre à Manosque la route qui, par Gréoux-les-Bains et Moustiers-Sainte-Marie, conduit aux fabuleuses gorges du Verdon.

SALON-DE-PROVENCE ET SON TERROIR

Eyguières, La Fare, Lançon, Lamanon, Pélissanne, Aurons, Alleins, « Lou Vernégué »

Le « Castelas » de Roquemartine se situe aux confins orientaux des Alpilles.
Il s'agit de ruines diverses, puisque provenant d'époques différentes,
pas toujours identifiées avec certitude...

Longtemps, les gens de *Salon-de-Provence* ont pu se demander si n'était pas ourdie contre eux la pire des conspirations : celle du silence ! Non point que les guides èt ouvrages divers consacrés à la Provence aillent jusqu'à les ignorer. Enfin... jusqu'à ignorer *totalement* cette ville de près de quarante mille habitants, laquelle — même si c'est avec beaucoup de condescendance, et du bout de la plume — est tout de même citée. Encore que soit cocasse la façon dont est pratiquée une énumération (*les églises Saint-Laurent et Saint-Michel, la maison de Nostradamus...*), tel ouvrage oublie *le Château de l'Empéri et son célèbre Musée des Armées françaises* (des pièces de collection — armes, uniformes, drapeaux, personnages, peintures, par milliers) —, tel autre mettant carrément à la trappe l'importante base aérienne et sa célèbre *Ecole de l'Air* (eh oui ! messieurs. les Parisiens qui vous esbaudissez tous les 14 Juillet, où sont donc formés les pilotes de cette fabuleuse *Patrouille de France* qui vous fait relever le menton à chacun de ses passages sur les Champs-Elysées ? Où donc ?).

Mais là n'est point le pire. Car la véritable frustration se situe, en effet, au plan de ce qu'il est convenu d'appeler *le terroir*. Pour ce qui est d'Aix-en-Provence, par exemple, cela s'appelle : *la campagne aixoise,* tandis qu'à propos d'Arles, l'on dit volontiers : *le pays d'Arles*. Mais, s'agissant de Salon, ville littéralement coincée entre ses deux importants voisins, avez-vous jamais entendu parler d'un quelconque *terroir salonnais ?* Tout ce qui pourrait en tenir lieu, Aix, d'un côté, Arles, de l'autre, se l'est approprié.

Ainsi d'Eyguières qui, bien que situé à moins de 10 kilomètres (nord-ouest) de Salon, apparaît à beaucoup comme une sorte de « porte des Alpilles », c'est-à-dire, en fait, comme une dépendance du « pays d'Arles » ! Si tel n'était pas le cas, les gens de Salon pourraient dire : « *Chez nous, à Eyguières, on peut visiter le cimetière qui, avec celui de Forcalquier, est le plus beau de Provence.* »

Ce qui est rigoureusement exact. Et corroboré par le fait que nombreux sont les étrangers à la région qui

Ci-contre : Salon : le cadran de sa Tour de l'Horloge égrène les heures, les jours, les années, les siècles...

Salon : son château de l'Emperi abrite une fabuleuse autant qu'inattendue collection.

ont acquis une concession au cimetière d'Eyguières. Comme l'expliquait l'un d'entre eux :

« Vous savez ce que c'est. Le coin est si beau que l'on commence par y acheter "une résidence secondaire". Laquelle, le moment de la retraite arrivé, devient "résidence principale". Alors, considérant ce si beau cimetière qui jouxte des arènes où se donnent d'aussi sympathiques "courses à la cocarde", on finit par se dire : *"Bah ! Et pourquoi pas une... résidence définitive ?"* »

Ce qui est vrai pour Eyguières l'est autant pour toute une couronne de villages formant autour de la *Cité de Nostradamus* un territoire promu au rang d'authentique fief. Ainsi de *La Fare-les-Oliviers*, de *Lançon*, de *Lamanon* (ses fameuses « *grottes de Calès* » et son « *plus gros platane du monde* », d'ailleurs classé par les Beaux-Arts) ainsi de *La Barben* (son zoo « dans la nature », son superbe château) ; ainsi d'*Aurons*, d'*Alleins* ; ainsi de *Vernègues*...

Vernègues — Lou Vernégué, comme l'on disait avant que le tremblement de terre de 1909 ne vienne ravager ce vert pays de collines où vivaient les gens « du travail de l'abeille et de la floraison des amandiers » ! Aujourd'hui, là-haut sur la colline, seuls en subsistent quelques pans de murs s'ouvrant sur la brèche de caves intactes, ainsi que ce qui reste d'une chapelle romane devenue une Notre-Dame-de-tous-les-Vents.

L'on grimpe un peu. Derrière les vestiges du château fort s'ouvre un sentier qui conduit à la vaste étendue d'un plateau caché. Quelque chose comme le fameux « monde perdu » de Conan Doyle ! Cette étendue peuplée de soleil, de plantes griffues, de lièvres furtifs et de fleurs aux étranges senteurs était jadis hantée le soir par un grand vieillard encapé de noir et coiffé d'un bonnet encadrant les contours de son visage anguleux. Il s'agissait, explique une tenace croyance, de l'inquiétant docteur Nostradamus — médecin, mage et astrologue — venu à tel moment précis du cycle lunaire y faire sa cueillette de plantes médicinales. « *De crainte de l'y rencontrer,* ajoute la légende, *ne vous aventurez jamais, la nuit tombée, derrière les ruines du Vieux-Vernègues !* »

L'hôtel de ville de Salon-de-Provence.

ETANG DE BERRE
ET CÔTE BLEUE

*Baignée à la fois par la mer
et par l'étang de Berre : Martigues !*

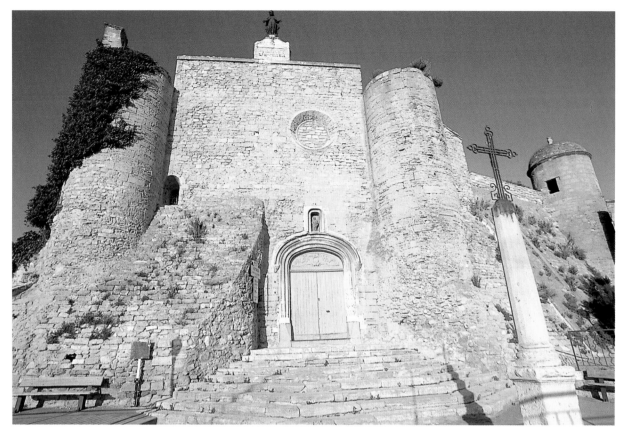

*Portes de remparts écroulés, chapelles oubliées, les alentours de l'étang de Berre
ne comportent pas que des raffineries de pétrole.*

Jadis vaste « réservoir » d'anguilles assurant à ses pêcheurs d'intéressants débouchés, *l'Etang de Berre* s'empalissade aujourd'hui (raffineries de pétrole obligent) d'une véritable « ceinture » d'étincelants réservoirs, comme d'inextinguibles torchères, de hangars, de structures de verre et d'acier abritant les activités d'industries de la pétrochimie, le tout laissant place, sur la rive ouest, aux vastes perspectives, s'ouvrant sur la plaine de la Crau, de l'importante base aérienne d'Istres et, sur la berge orientale, aux pistes et bâtiments du grand aéroport — longtemps appelé « *Marseille-Marignane* » en raison de sa proximité de la ville portant ce dernier nom — et qui répond désormais au nom de : « *Marseille-Provence* ». Indépendamment des villes d'*Istres* et de *Marignane,* cet étang est borné en sa partie nord-ouest par la ville de *Saint-Chamas* (ses vestiges d'habitations troglodytes, son *Pont-Flavien* aux entrées décorées de curieux lions sculptés). La ville de *Berre-l'Etang* (base aéronavale et siège de nombreuses industries du secteur) semble vouloir contrôler la partie orientale de l'étang, tandis que, dans l'extrême coin sud-ouest de ce dernier, adossée à la *Chaîne de l'Estaque* qui la sépare de la mer, sûre d'elle parce que consciente de son inimitable diversité, la belle ville de Martigues attend son inépuisable flot de visiteurs.

MARTIGUES : NON PAS UNE, MAIS TRIPLE !

En fait, dans la mesure où elle n'est pas une, mais triple, ça n'est point de *Martigues* qu'il conviendrait de parler, mais *des Martigues !* A savoir, au sud, de celle de *Jonquières ;* au nord, de celle de *Ferrières* et, entre les deux, de *l'Ile* (deux canaux l'enserrent). C'est dans « cette Martigues centrale » que peut s'admirer, rendez-vous obligé des peintres, des poètes... et des amoureux, le fameux *Miroir aux Oiseaux.*

Sur ce plan d'eau tranquille où se reflètent des plats-bords de barques et des crépis de murs surgis de la même palette, scintille l'âme de la Provence.

Un aspect typique du paysage « martégaou » : le canal Saint-Sébastien.

Et puis, s'il y a cette *Chapelle de l'Annonciade* aux murs et au plafond dorés et ce passionnant *Musée du Vieux-Martigues* où s'expose et s'explique tout ce qu'il faut savoir sur les différentes techniques de la pêche, il y a...

... il y a cette bouillabaisse, cette bourride, ces poissons qui, dégustés *aux* Martigues, vous ont une saveur à nulle autre pareille !

Quant au fameux cliché de la « Venise provençale », les *Martégaous* y répondent par cette boutade : « Pourquoi ne pas parler, plutôt, de Venise, la "Martigues italienne" ? »

LA CÔTE BLEUE : CES BANCS RENDAIENT LA MER PHOSPHORESCENTE !

De Martigues, pour aller vers Marseille, l'itinéraire le plus indiqué passe par un chapelet de petites stations — simples calanques, plages de sable comme de galets, ou longues pointes rocheuses percées de crevasses emprisonnant des restes d'eau verte abandonnés par les embruns.

A la différence de ce qui s'observe à l'est de Marseille (*à Cassis, aux Lecques, à La Ciotat,* où prédomine une clientèle plus « bourgeoise »), les points de baignade de *la Côte bleue* gardent pour vocation l'accueil de familles venues au grand complet pour « passer la journée » — le panier du pique-nique calé contre le pied du parasol, de façon à profiter en priorité de la maigre flaque d'ombre procurée par le fragile instrument.

Partout, aux alentours de *Carro,* de *Sausset-les-Pins,* de *Carry-le-Rouet,* d'*Ensuès,* de *Niolon,* d'intrépides villas ne craignent apparemment point de voir s'embraser comme des allumettes les troncs gorgés de résine des pins entre lesquels elles ont poussé.

Reste, dans les regards comme dans les paroles des vieux, assis sur des bancs en bordure de quai, à Carro, à Sausset, à Carry, la nostalgie d'une époque disparue depuis quelques décennies, où se pratiquait cette pêche au thon qui faisait vivre toute la région. La dernière de ces « *seinches* » eut lieu en 1954.

« *Au passage d'un banc, formé de milliers et de milliers de thons, la mer devenait phosphorescente. Ce qui fait que par une nuit pourtant sans lune nous pouvions, les uns et les autres, lire distinctement les numéros portés sur les voiles de nos barques...* »

FOS-SUR-MER : DES HAUTS FOURNEAUX LORRAINS EN PROVENCE

Passé Martigues et le vertigineux et très moderne ouvrage autoroutier qui enjambe la ville, passé la petite cité industrielle (pétrole, toujours, et pétrochimie) de *Port-de-Bouc,* on trouve le port de *Lavéra,* équipé pour recevoir les plus gros pétroliers et qui, avec *Fos-sur-Mer* et sa zone industrielle où, depuis le début des années 1970, la sidérurgie venue de Lorraine a ins-

tallé ses hauts fourneaux, forme un gigantesque complexe industriel. Le spectacle est souvent insolite de ces superstructures géantes s'éparpillant dans une plaine sans limites.

Car le paysage traditionnel demeure : plates étendues que découpent ci et là les lèvres ourlées de roseaux d'un canal — d'une *roubine* — avec, toute proche ou grandissant dans ce même tremblement lointain où se repousse indéfiniment le mirage, une *manade.* Chevaux ou toros, quelquefois les deux.

Un *gardian* passe au petit galop, son trident dressé presque à la verticale se découpant sur un arrière-plan de décor où se reconnaît la masse colossale d'un haut fourneau, à l'évidence pas encore bien acclimaté. Bah ! s'il veut survivre, il faudra bien qu'il s'y fasse. Entre lui, qui représente le fameux « défi industriel » et le roseau, il y a, pour employer le jargon à la mode, *comme un challenge.* Et la partie semble bien inégale.

C'est la raison pour laquelle certains inclinent à parier sur le roseau.

Fos : tankers géants et hauts fourneaux.

DE LA SAINTE-BAUME
A LA SAINTE-VICTOIRE

Saint-Maximin, le pays de Cézanne, Aix-en-Provence

Par son insolite blancheur,
la compacte masse blanche de la montagne Sainte-Victoire
évoque quelque iceberg pétrifié,
perdu au cœur de la verte campagne aixoise...

Francisé, le terme provençal *Baoumo* devient *Baume*. Francisé, oui. Mais pourquoi sanctifié ? La légende veut que la future sainte (Marie-Madeleine, pour ne pas la nommer) ait, « pour se repentir de ses péchés » passé les trente-deux dernières années de sa vie dans une *baoumo* de cette montagne qui, orientée d'ouest en est (comme le Luberon, comme le Ventoux) commence au *Baou de Bertagne,* pour s'achever au *Baou de Saint-Cassien,* à 12 kilomètres de là, étant entendu que sa crête se promène à une altitude moyenne de 950 mètres, avec des flèches au *Jouc de l'Aigle* (1116 mètres) et au *Signal des Béguines* (1147 mètres).

Devenue lieu de pèlerinage, la grotte de la sainte s'ouvre au pied du *Saint-Pilon.* On y parvient après avoir traversé une superbe forêt de 140 hectares, où voisinent le hêtre, le pin, l'érable, le frêne, le chêne vert, le tilleul. Véritable château d'eau de cette partie de la Provence, le massif de la Sainte-Baume sert de berceau à une multitude de ruisseaux devenant des rivières pour mieux fertiliser les riches plaines côtières.

Une autre légende — en quelque sorte complémentaire de la première — veut que (mais pas à la même époque, naturellement !) cette grotte ait été habitée par un tailleur de pierres provençal passé à la postérité sous le nom de *Maître Jacques.* Celui-ci s'en revenait du chantier ouvert à Jérusalem par le roi Salomon, aux fins d'édification d'un temple grandiose. De sa retraite, ce *Maître Jacques* fit de nombreux adeptes au *Compagnonnage* naissant. Dans le même temps, son ami *Soubise,* revenu avec lui de Jérusalem, mais qui était allé s'établir à Bordeaux, en faisait autant de son côté. Ils furent donc, chacun, les fondateurs des deux grandes obédiences compagnonniques rivales. Mais, pour les tenants de l'une comme de l'autre, le pèlerinage à la Sainte-Baume, effectué dans le cadre de leur « *Tour de France* » constitue une obligation où se confondent « dans un même culte » la dévotion manifestée à la sainte et les « devoirs » inhérents à leur état. C'est ainsi que s'établit l'usage voulant que, lors de son passage, le compagnon fît bénir ses « couleurs » par le père desservant la chapelle dominicaine du lieu.

En pages précédentes : Sainte-Baume : sur le chemin menant à la grotte où vécut la Sainte.

Sainte-Baume : au pied de ce chaos minéral, quelques rares pentes tentent de reverdir malgré la menace toujours présente des incendies.

Dans la première moitié du XIXe siècle — grande époque pour le compagnonnage — il était d'usage pour un compagnon se rendant à la Sainte-Baume d'aller « quérir ses couleurs » à *Saint-Maximin,* chez le « *Pays Audebaud, dit : Saintonge-la-Fidélité* », compagnon tourneur du devoir, détenteur du « registre de passage ».

SAINT-MAXIMIN : LES ORGUES GRANDIOSES DU PERE ISNARD

La renommée de *Saint-Maximin* tient essentiellement à l'existence de son impressionnante basilique. Pour qui se serait jusqu'ici obstiné à l'ignorer, cette basilique est à la fois le plus ancien et le plus important édifice gothique construit en Provence. En accord avec l'esprit dominicain qui, par la simplicité de ses conceptions architecturales (clocher réduit à une modeste tour, absence de transept et de déambulatoire, collatéral unique) s'harmonise si bien avec l'âme provençale, la basilique de Saint-Maximin a conservé de précieuses pièces de mobilier et œuvres d'art. Ses orgues célèbres sont dues au dominicain Jean-Esprit Isnard et à son neveu Joseph. Elles sont un parfait exemple d'intégration d'un tel instrument dans une nef, ainsi que de la non moins parfaite adaptation des timbres à la résonance particulière découlant de la forme et des dimensions spécifiques de l'édifice.

LE PAYS DE CEZANNE

Sortant de Saint-Maximin, direction Aix, nous ne saurions trop vous recommander d'abandonner très tôt la N 7 à son rapide destin, au profit de la magnifique petite route qui, par *Pourrières, Puyloubier, Saint-Antonin* et *Le Tholonet,* vous conduira à *Aix-en-Provence.*

Cette route (et ça n'est pas pour rien qu'on l'appelle : *route Paul-Cézanne*) coule comme un ruisseau dans l'étroite vallée qui se creuse entre la *Montagne du Cengle* et la face sud de la *Sainte-Victoire.* Sans jamais se risquer à escalader celle-ci, cette route court

Non loin de Saint-Maximin, la magnifique abbaye cistercienne du Thoronet.

autour de la grande dame de Provence comme court un ourlet à l'aplomb d'une robe...

Après *Pourrières* où, jadis, *Marius* et ses légions romaines firent grand carnage de ces encombrants touristes qu'étaient les *Cimbres* et les *Teutons,* la *route Cézanne* gagne *Puyloubier,* à l'extrême pointe orientale de la *Sainte-Victoire.* Ce village situé à 400 mètres d'altitude s'adosse à l'imposante montagne bleue. Il est cerné par des bois profonds d'où, par de glaciales nuits d'hiver, montait autrefois le lugubre appel des loups affamés hurlant, le museau tourné vers la lune. D'où l'origine du nom de *Puyloubier :* « Podium luberium », la colline des loups. Mais que les âmes sensibles se rassurent : s'il y avait encore des loups sur ce versant de la Sainte-Victoire, la Légion étrangère n'y eût point ouvert une maison de retraite pour ses invalides, fût-ce pour les plus coriaces d'entre eux.

Doté d'une belle église paroissiale, *Puyloubier* compte plusieurs chapelles rurales, dont l'une est consacrée à saint Pancrace, enfant-martyr de 14 ans devenu le « patron » des tout-petits. Une autre est dédiée à saint Ser, invoqué pour la guérison des sourds,

pour la bonne raison que ce pauvre homme eut (encore eux !) ses oreilles mangées par les loups.

Séduits par ce paisible village que domine la très belle perspective de la haute vallée de *l'Arc,* de nombreux peintres y séjournent, certains ayant même définitivement planté là leur chevalet. Ils organisent chaque année *le Salon de la Sainte-Victoire.* N'est-ce point la meilleure façon de rendre à Cézanne, au travers de cette montagne qu'il aima si passionnément, l'hommage qui lui est dû ?

Dernière étape avant Aix, *Le Tholonet* développe un majestueux alignement d'arbres menant à une grande maison de style italien, baptisée château, qu'entoure un parc magnifique, le spectacle étant encore rehaussé par l'eau qui, s'écoulant en abondance de conques calcaires, jaillit en cascades.

AIX-EN-PROVENCE, AIX-LES-BEAUX-ARTS, AIX-EN-MOZART...

Cité thermale, judiciaire, universitaire, musicale, littéraire, Aix, c'est cette ville kaléidoscope où, sans

Ci-contre : Aix et la colossale fontaine de sa fameuse « rotonde ».

Aix-en-Provence : un perpétuel air de fête. Photo Hervé Boulé.

Perspective sur la tour de l'Horloge.

jamais se mêler, l'hier et l'aujourd'hui s'enchevêtrent : Rome y est présente, le Moyen Age préservé, le Grand Siècle étincelant, tandis que s'y multiplient des structures qui seront celles du XXIe siècle.

C'est *l'Aix-Mazarine* des riches hôtels à particules ; c'est *l'Aix-Casbah* bordant l'ancienne faculté des lettres ; c'est *l'Aix-des-rues-courbes* reliant *Mirabeau à Jaurès et Sextius à Carnot,* et c'est, propre et lisse, *l'Aix-en-Béton* de la *ZUP.* C'est l'Aix, également, des verts quartiers des facultés, c'est l'Aix polychrome aux mille senteurs du marché maraîcher de la place Richelme, *l'Aix-au-trésor* du marché de la brocante, devant le palais de justice où vont et viennent des centaines de magistrats et d'avocats et des milliers de justiciables...

Et c'est l'Aix de ces mille visages qui font *AIX-EN-PROVENCE.* Car, qu'ils y soient nés ou, comme pour beaucoup, aient simplement choisi d'y vivre, ils composent à eux tous, non point une population, mais les motifs d'un somptueux brocart, seul capable, en définitive, de donner tant de relief, tant de couleurs aux pierres sculptées de ces maisons d'un autre âge.

Ainsi de ces rues, de ces passages bordés de superbes vitrines où personne ne s'étonne de voir

Pages précédentes : Aix : le charme exquis de son cours Mirabeau. Photo Hervé Boulé.

Le cloître de la cathédrale Saint-Sauveur.

...et son clocher surmonté d'un superbe campanile.

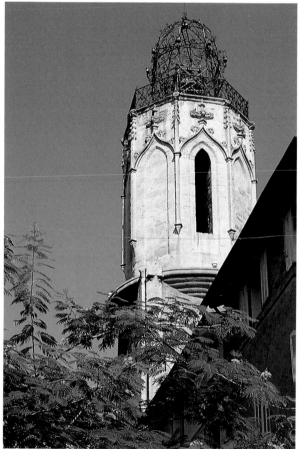

des jeunes y « faire la manche » ; ainsi de ces terrasses du cours Mirabeau, où Chanel, Dior, Balenciaga font bon ménage avec les nippes du fripier.

Car c'est cela le miracle aixois. Celui d'une faune composée d'espèces — ô combien différentes ! — qui, sans jamais s'interpénétrer, se côtoient, sans heurts, sans questions, dans la plus totale indifférence. A se demander, même, si seulement ces gens-là s'entr'aperçoivent.

L'essentiel étant qu'à eux tous ils contribuent à perpétuer ces images qui ont pour noms :

— Aix-les-Fontaines, Aix-les-Beaux-Arts, Aix-en-Mozart,
— Aix-en-Justice, Aix-en-Brocante,
— Aix-les-Rues, Aix-les-Cours,
— Aix-tout court,
— Aix-de mes jeunes amours...

Page suivante : le marché aux fleurs,
place de l'Hôtel-de-Ville.
La façade de la cathédrale Saint-Sauveur.

L'archevêché.

L'hôtel de ville.
La fontaine, place de l'Hôtel-de-Ville.

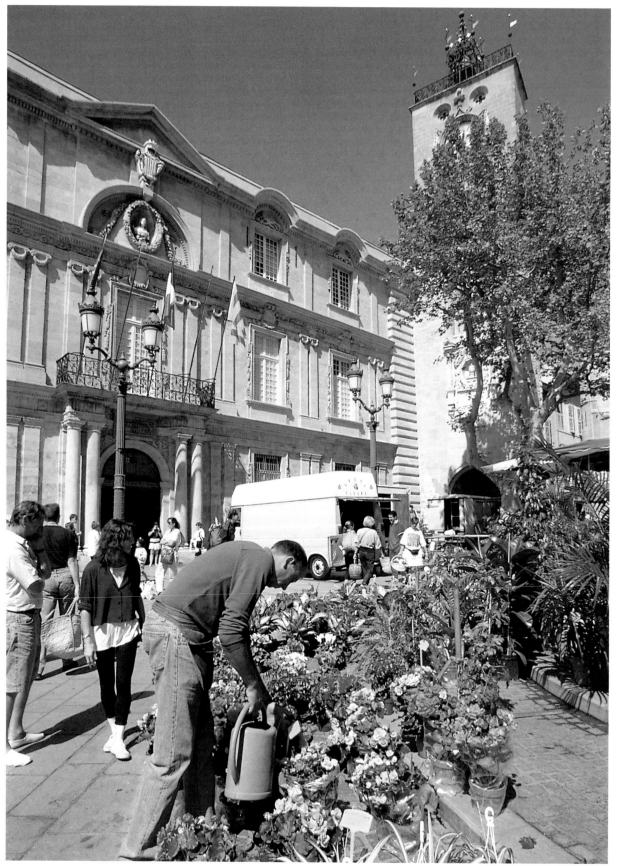

DE MARSEILLE A CASSIS

Terroir méconnu, sublimes calanques

Ancré dans l'immense rade de Marseille,
l'archipel (désolé) du Frioul. Photo Hervé Boulé.

Sur la rive nord du Vieux-Port, l'hôtel de ville et, derrière, l'imposante façade de l'hôtel-Dieu, ex-hôpital.

Ci-contre : basilique de Notre-Dame-de-la-Garde, la célèbre « bonne mère » des Marseillais.

Prolixes en ce qui concerne la *Bonne-Mère, le Château d'If, la visite des ports,* les responsables marseillais du tourisme ont toujours été étrangement silencieux quant à un « terroir » — jamais distant de *la Canebière* de plus d'une demi-heure — et qui abrite pourtant ce que Marseille recèle d'authenticité.

Mais ont-ils jamais pris la peine d'ouvrir l'un quelconque de ces ouvrages formant cette « Trilogie des collines », écrite sur le tard par un Marcel Pagnol s'attachant à corriger une certaine « image de marque » généralement attribuée à l'autre « trilogie » — celle du *Vieux-Port ?* Une œuvre sans doute très applaudie mais pas toujours bien comprise par des gens « extérieurs à Marseille » et congénitalement incapables d'appréhender de tels chefs-d'œuvre autrement qu'au premier degré.

Brisons donc ce silence en entreprenant une promenade au cœur de ce fameux « terroir ». Celui-ci s'étend entre Marseille et Aubagne, sous le massif du *Garlaban,* et comporte (bien qu'inclus dans la — très vaste — commune de Marseille) d'authentiques *villages,* comme : *Les Camoins, Eoures, La Treille, Château-Gombert...*

Petite mais réputée station thermale, le premier nommé dispose, juste en face de l'église, de deux magnifiques maisons bâties au XVe siècle par le moine portugais défroqué *Camoens,* à qui le village doit son nom. Des maisons dont la cuisine comportait un puits qui, longtemps utilisé, fournissait une eau d'une telle qualité... qu'elle donnait au pastis une saveur inconnue partout ailleurs.

A *Eoures,* un peu plus loin, vous pourrez toujours essayer de vous procurer la recette de ces fameux *anchois des tropiques,* variété connue seulement depuis que *Pagnol* et Fernandel y tournèrent *Le Schpountz.*

Quant à *La Treille,* vous y trouverez, *Chemin des Bellons,* la merveilleuse *maison des vacances.* Apposée sur sa façade, une plaque atteste l'authenticité de la chose. Egalement à La Treille, l'émouvant cimetière où, par monuments funéraires interposés, s'ins-

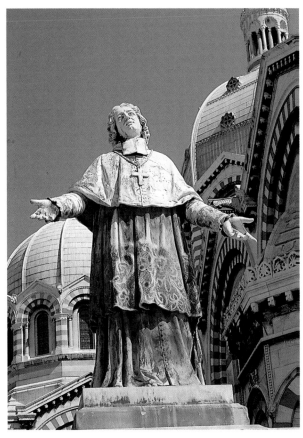

Sur le parvis de la cathédrale, la statue de Monseigneur de Belzunce, ce prélat qui affronta la peste.

Ci-contre : l'entrée du Vieux-Port, avec vue sur le fort-Saint-Jean et, à l'extrême gauche, la cathédrale de la Major (en haut).

Un ferry accosté au port de commerce de la Joliette avec, en arrière-plan, le château d'If (en bas).

Vestiges archéologiques : le port antique.

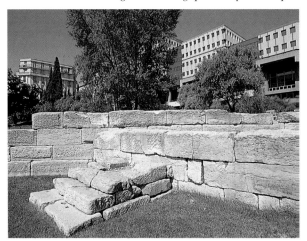

crit irréfutablement dans le paysage la légende construite par le petit enfant des collines. Ces monuments, c'est-à-dire ces tombes réunies autour de celle de l'académicien, et dont chacune évoque un nom familier, celui de *Joseph*, le père instituteur, à *Miù*, le maître maçon et ami fidèle, créateur des décors de tant de films. Celui, enfin, du petit *Lili des Bellons* — « mort au champ d'honneur ». Un champ « *où poussaient des plantes lointaines, des plantes dont il ne connaissait même pas le nom...* ».

Quant à *Château-Gombert*, si ce nom évoque désormais l'importante *technopole* qui s'y est installée, celui-ci n'en reste pas moins inséparable de l'image d'un *village* ancré dans de solides et tranquilles traditions et donc capable, sans rien renier ni pervertir, *d'accompagner* le progrès. Il en va de même à *Allauch* (capitale du miel et du nougat) qui, sur sa colline dominant l'éblouissante rade de Marseille, conserve comme un trésor ses trois moulins dont, bien que clouées, les ailes s'acharnent à meuler d'impalpables grains de soleil.

Ces paysages, toiles de fond de trois livres : *La Gloire de mon père*, *Le Château de ma mère*, *Le Temps des secrets*, des centaines de milliers d'enfants de tous âges, parlant des dizaines de langues différentes, les ont appris par cœur.

Ce sont ces étendues de garrigues, de taillis, de champs, de parcs plantés d'arbres, de vallons, de ruisseaux, c'est cette montagne, du *Garlaban au Ruissatel*, *au Taoumé*, en passant par la barre des *Escaouprès*, la *Baume sourne*, la *Baume de Zive*, la grotte de *Passe-Temps*.

C'est un intarissable pays de sources et de cigales, paradis des *prégadiou, des limberts, des tordres, des sayres...* Un pays de jas et de bastides, de châteaux et de clochetons à tourelles... Un pays où pour conter l'agonie d'un oiseau, des poètes bardés de cartouchières vous ont d'inimitables frémissements de plume...

Et ce « pays », sachez-le, ne se trouve nullement « quelque part en Haute-Provence », mais, tout bonnement, *à Marseille*, ville qui offre cette particularité de pousser loin dans ses collines (mais, nous l'avons dit, jamais bien loin de sa *Canebière*) les limites d'un odorant, d'un savoureux, d'un authentique « terroir ». Venez donc en arpenter les ruelles

Avec ses 25 000 ha, la commune de Marseille est plus étendue que la commune de Paris. Photo Hervé Boulé.

Pages précédentes : le château d'If : cadre réel d'une aventure imaginaire
(le comte de Monte-Cristo) à qui il doit sa célébrité. Photo Hervé Boulé.

et les sentiers. Après — mais seulement « après » —, vous pourrez dire : « *Marseille ? Oui, je connais !* »

CASSIS : ... PAR LA ROUTE OU PAR LA MER...

Venant de Marseille pour joindre Cassis (une vingtaine de kilomètres), il faut aux automobilistes abandonner toute illusion quant à une route longeant au plus près le littoral. Celle-ci, en effet, semble prendre un malin plaisir à s'en écarter. Et cela au profit d'un site en lui-même grandiose, mais correspondant mieux à l'idée que l'on peut se faire de quelque « roide cordillère » andine, que de la traditionnelle « Riviera » (palmiers, parasols, pédalos...).

Cette route a pour nom « *La Gineste* » et grimpe allègrement à l'assaut d'un col du même nom. Avant d'y parvenir, elle vous laissera jeter un dernier regard sur Marseille qui, vue de cette altitude (plus de 300 mètres) apparaît dans toute sa splendeur, avec l'immensité de sa baie où s'ancre *l'archipel du Frioul*. Plus près, en contrebas, c'est l'écrin de verdure miraculeusement préservé au milieu duquel éclate la blancheur du complexe universitaire et sportif de *Luminy,* mais avec également, hélas ! partout ailleurs, des bossellements de collines au sol rongé par les incendies. Resterait tout de même de quoi offrir aux caméras d'un réalisateur de westerns d'inégalables décors ! Sergio Leone qui, malheureusement, a rejoint les grandes prairies des chasses éternelles « *sans avoir vist* » la route de Cassis, s'en fût succulé.

Plus heureux que lui, le grand Winston Churchill eut l'occasion d'exprimer, entre deux bouffées de son éternel cigare, son émerveillement. Ainsi, à propos de la grandiose apparition à un tournant de la descente vers le petit port, de la falaise du *Cap Canaille* (400 mètres d'un vertigineux à-pic) l'illustre homme d'Etat britannique (par ailleurs peintre de talent) n'hésita pas à déclarer :

« On reçoit cela comme un coup de poing en plein visage ! »

Autre sujet d'émerveillement, celui que ressentent les marcheurs venus, « à pied », de Marseille par un étroit chemin de crêtes surplombant les fameuses calanques, dont les parois de granite sont le lieu de rendez-vous d'alpinistes venus du monde entier. Mais c'est évidemment par la mer que prend toute sa dimension une visite de ces merveilles de la nature — profonds écrins de cristal bleu et de blanches falaises liserées de vert — qui ont pour noms : *Sormiou, Sujiton, En-Vau, Port-Pin, Port-Miou...* Avec, s'égrenant également de Marseille à Cassis, une incroyable armada d'îles et d'îlots : *Maïre et son Tiboulen, Jarre, Calseraigne, Riou et son Congloué...* que l'on découvre sitôt passé le *Cap Croisette* (borne orientale de la baie de Marseille).

Mais les passagers de la route comme ceux de la mer se retrouvent immanquablement aux terrasses des cafés cassidains où l'on peut à loisir contempler l'incessant va-et-vient qui, d'un bout à l'autre du port, comme dans les rues piétonnes aux boutiques toujours achalandées, donne à Cassis ses couleurs, sa substance, c'est-à-dire, en définitive, sa raison d'être...

Pages suivantes : Roussillon-de-Vaucluse, ou : « quand toutes les couleurs du monde... »

Cassis : par la route, à 18 km de Marseille ; à pied (par le sentier des douaniers)... à quelques heures ; par la mer : visite inoubliable d'une suite de calanques belles à couper le souffle !

Région
Provence-Alpes
Côte d'Azur

Briançon

Hautes-Alpes

05

GAP •

Barcelonnette •

Sisteron •

Alpes-de-Haute -

Provence

04

DIGNE •

Alpes-Maritimes

06

Vaucluse 84

• Carpentras

Forcalquier •

Castellane •

AVIGNON •

Apt •

Manosque •

PROVENCE-

ALPES-CÔTE D'AZUR

Grasse •

MONACO •

NICE •

Arles •

Draguignan •

Istres •

Aix-en-Provence •

Bouches-du-Rhône

13

• Brignoles

Var

83

MARSEILLE •

TOULON •

MER MÉDITERRANÉE

Cartographie : IKEN

Gap. Une autre étape sur la « Route Napoléon ».
Un climat qui, l'été, reste celui de la Haute-
Provence et qui, même au cœur de l'hiver,
voit la neige épouser le soleil.

Grasse. Capitale mondiale des parfums,
elle appartient aux « marches orientales de la
Provence », mais n'en revendique pas moins
le titre de « balcon fleuri de la Côte d'Azur ».

Briançon. Puissamment fortifiée par Vauban
pour barrer l'accès à la vallée de la Durance,
c'est aujourd'hui la plus accueillante des villes
(important centre hospitalier et climatique).

Saint-Tropez. Découvert voici à peine un siècle
par une poignée d'artistes et d'écrivains, ce port
où jadis accostaient des tartanes est devenu
le plus cosmopolite des lieux de villégiature.

Digne-les-Bains. Bien calée, à 600 mètres
d'altitude, au creux d'un cirque de montagnes
la protégeant des vents,
la « capitale de la lavande ».

Circuit « Paul-Ricard ». « Officiellement », c'est
le « circuit du Castellet » car il appartient à la
commune du même nom (près de Bandol).
Autos et motos y mènent de pétaradants ballets.

Nice. Ex-capitale d'un comté au particularisme
bien marqué, « Nizza la bella » doit aux Anges
sa superbe baie, et aux Anglais
sa prestigieuse promenade.

Toulon. Tous fastes engloutis de ses imposants
cuirassés de jadis, Toulon n'en reste pas moins
le plus prestigieux comme le plus puissant port
de guerre de toute la Méditerranée.

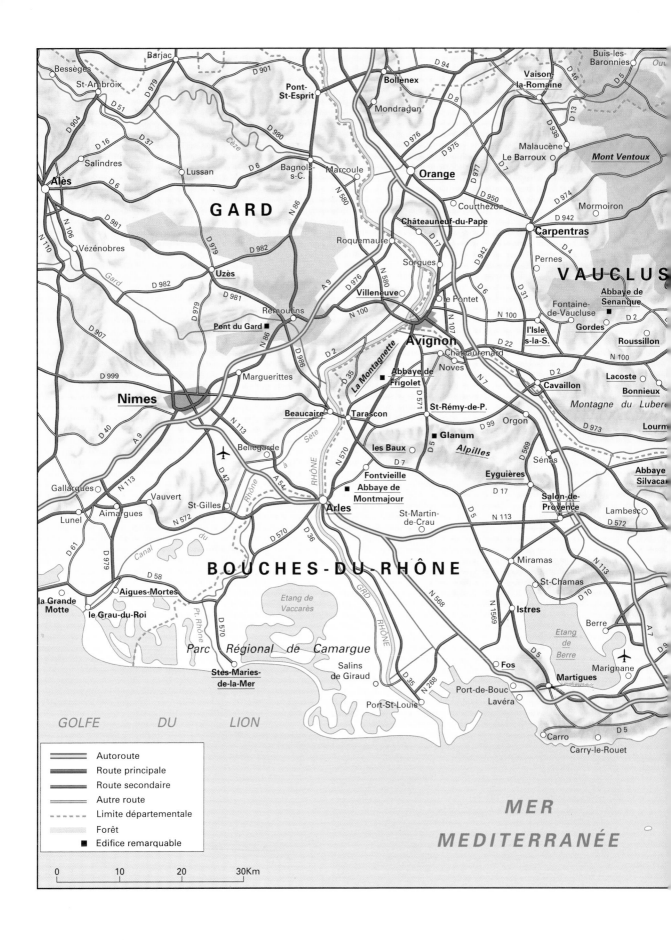

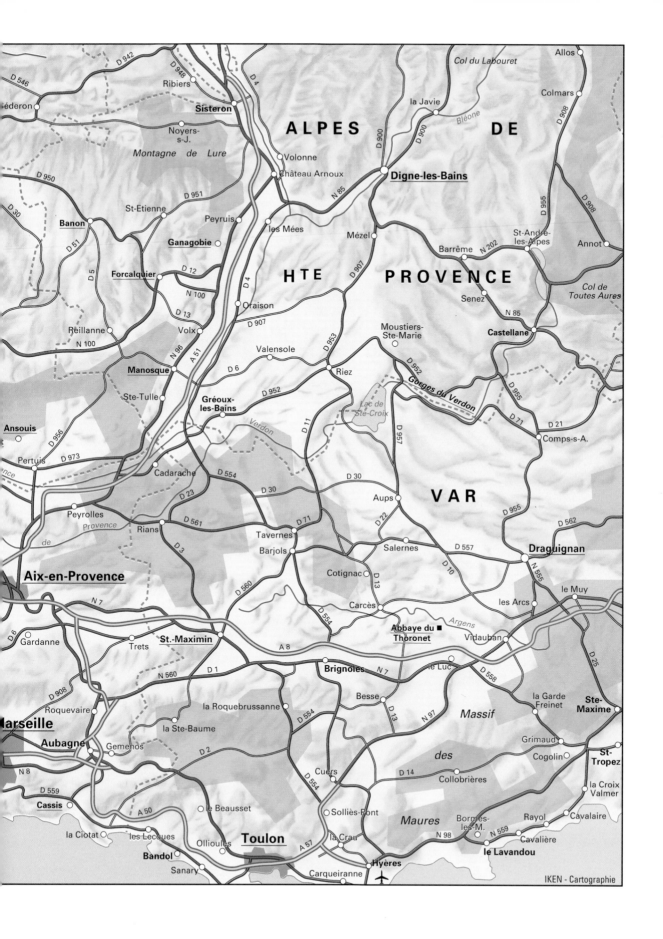

TABLE DES MATIERES

Version brochée :
En première de couverture :
la chapelle Saint-Sixte à Eygalières.

En quatrième de couverture :
flamants roses en Camargue.

Version cartonnée :
Le moulin de Daudet à Fontvieille.

Cet ouvrage a été achevé d'imprimer par Aubin Imprimeurs, Ligugé (86)
Broché : I.S.B.N. 2.7373.1183.7 - Dépôt légal : avril 1993
N° d'éditeur : 2513.03.09.02.95
Cartonné : I.S.B.N : 2.7373.1265.5 - Dépôt légal : avril 1993
N° d'éditeur : 2604.01.03.04.93